A^tV

CHRISTOPH HEIN wurde 1944 in Heinzendorf im heutigen Polen geboren. Er wuchs in einer sächsischen Kleinstadt auf. Bis 1961 besuchte er ein Gymnasium in Westberlin, lebte aber seit Errichtung der Mauer wieder in Ostberlin. Montagearbeiter, Kellner, Buchhändler und Regieassistent Benno Bessons an der Volksbühne. Von 1967 bis 1971 Philosophiestudium in Leipzig und Berlin, danach Dramaturg, später Autor an der Volksbühne. Er lebt in Berlin und Mecklenburg.

Wichtigste Veröffentlichungen: »Einladung zum Lever Bourgeois« (Prosa, 1980), »Der fremde Freund« (auch u. d. T. »Drachenblut«, Novelle, 1982), »Horns Ende« (Roman, 1985), »Der Tangospieler« (Erzählung, 1989), »Das Napoleon-Spiel« (Ein Roman, 1993), »Exekution eines Kalbes und andere Erzählungen« (1994), »Von allem Anfang an« (1997) und zahlreiche Stücke, zuletzt »Bruch. In Acht und Bann. Zaungäste. Himmel auf Erden« (1999), sowie Essays.

Daniel ist zwölf, dreizehn, mithin in einem Alter, in dem nichts mehr selbstverständlich ist: plötzlich merkt er, daß die mitteldeutsche Kleinstadt, in der er aufwächst, unendlich langweilig ist, ihm fällt auf, daß seine Mutter nicht mehr mit dem Vater redet, er muß erfahren, daß über die russischen Panzer in Budapest auf der Leuchttafel am Kudamm anders berichtet wird als in den Zeitungen daheim, und er lernt, wie man küßt. Ein aufregendes Alter, verunsichernd und beunruhigend – Daniel ist nicht mehr Kind und noch lange nicht erwachsen –, ein Alter, in dem alles möglich ist.

»Christoph Hein ist unglaublich klar und unglaublich ehrlich. Ein sehr sympathisches Buch, das nicht versucht, die Vergangenheit in der DDR zu verklären.«

Sigrid Löffler im Literarischen Quartett

Christoph Hein

Von allem Anfang an

Aufbau Taschenbuch Verlag

ISBN 3-7466-1129-6

1. Auflage 2000
Aufbau Taschenbuch Verlag GmbH, Berlin
© Aufbau-Verlag GmbH, Berlin 1997
Umschlaggestaltung Torsten Lemme
unter Verwendung des Gemäldes »Junger Mann
im gestreiften Pullover«, 1917, von Amedeo Modigliani
Satz LVD GmbH, Berlin
Druck Elsnerdruck GmbH, Berlin
Printed in Germany

www.aufbau-taschenbuch.de

KRIEG ZUR SEE

An dem Tag, an dem ich mich von Tante Magdalena verabschieden musste, traf ich Lucie vor dem Tor in der Molkengasse. Sie hatte mich gesehen und war stehen geblieben, um auf mich zu warten. Sie trug ein dunkles Samtkleid, ihr Haar war mit einer schwarzen Schleife zusammengebunden, in der Hand hielt sie eine Rose. Anscheinend ging sie zur Frühmesse. Sie sah so schön aus, dass ich kein Wort herausbrachte. Ich lächelte verlegen.

»Was machst du denn hier?« fragte sie.

»Ich muss jemanden besuchen. Meine Tante«, sagte ich.

»So früh?«

»Ja, ich fahre weg.«

Ich hätte ihr beinahe erzählt, dass ich mich bei der Tante verabschieden müsse, weil ich die Stadt verlasse und für immer nach Westberlin ziehe, aber dann erinnerte ich mich noch rechtzeitig daran, wie sie mich bei Fräulein Kaczmarek verraten hatte.

»Ich wollte dir noch sagen, dass ich das mit der Oberschule gemein finde«, sagte Lucie, als habe sie etwas von meinen Gedanken erraten, »du hast viel bessere Zensuren als Bernd.«

»Wenn es geklappt hätte, wären wir jeden Tag zusammen mit der Bahn gefahren. Schade, aber das ist Schicksal.«

»Und was machst du? Hast du eine Lehrstelle?«

Ich schüttelte den Kopf.

»Gehst du auch nach Westberlin? Wie dein Bruder?«

»Wie kommst du denn darauf?« Ich spürte, dass ich rot

wurde, aber ich konnte ihr nicht sagen, dass ich eben das vorhatte, und zwar in genau einer Stunde.

»Ich dachte nur. Ich würde es verstehen, Daniel.«

»Du?«

»Ja. Na, ich muss jetzt gehen. Ich hoffe, man sieht sich gelegentlich.«

»Das hoffe ich auch, Lucie.«

Ich reichte ihr plötzlich die Hand. Sie war überrascht, weil wir uns noch nie die Hand gegeben hatten, aber dann nahm sie das Buch und die Blume in ihre Linke, und wir verabschiedeten uns förmlich und etwas verlegen. Sie lief in ihre Kirche, und ich sah ihr nach, bis sie verschwunden war.

Als ich die Treppe hochrannte, war ich so vergnügt, dass ich laut vor mich hin sang.

Tante Magdalena wohnte über der Bäckerei Theuring in der Mühlenstraße, wo wir unser Brot kauften und die Brötchen und manchmal auch ein paar Plunderstücke. Der Eingang zu ihrer Wohnung war aber nicht in der Mühlenstraße, man musste um die Ecke gehen, in die Molkengasse, zu dem großen Holztor, das im Unterschied zu allen anderen Toren in der Stadt nie offen stand und in das eine Tür eingeschnitten war. Wenn man diese öffnete, bewegten sich die beiden mächtigen Torflügel in den Angeln, und man musste einen Moment warten, bis sie wieder stillstanden und man über den Fußteil des eisernen Türrahmens treten konnte. Durch einen breiten Torgang gelangte man auf den Hof, dort waren die Karnickelställe des Bäckers und ein Drahtverschlag für die Hühner. Es gab auch einen winzigen, mit Draht geschützten Garten, in dem Tante Magdalena Kräuter anbaute.

»Kräuter muss man selber ziehen, Daniel«, sagte sie, »die Kartoffeln kann man sich kaufen und Brot und Milch und alles andere. Mit Kräutern hat es so seine eigene Bewandtnis, die will ich mir nicht von fremden Händen ziehen lassen. Sieh mal, den Dill hier, den braucht man nun alle Nase lang, in meiner Küche muss jedenfalls alles gut gedillt sein. Wenn man aber damit nicht umgehen kann, wenn man nicht weiß, dass der Dill auch Zauberkraft besitzt, da kann es das reinste Hexenkraut sein. Meinen Dill kann sich jede Braut unbesorgt in den Schuh tun.«

Die Fenster im Erdgeschoss gehörten zur Backstube und waren sommers wie winters leicht geöffnet. Man hörte die Geräusche der Maschinen, den Knetarm der Backmulde, das elektrische Sieb und die Schlagmaschine, das metallene Klicken der Türen und des Gestänges vom Backofen. Und natürlich die Stimmen von Bäcker Theuring und seinen beiden Gesellen.

Links schloss sich ein Hofgang an, von dem man zu den Hintertüren der anderen Häuser in der Molkengasse gelangte und der bis zum Anger reichte, wo die Garagen standen. Am Ende des Torgangs rechter Hand führten drei Steinstufen zu einer Tür, hinter der sich ein Treppenhaus und der Eingang zur Backstube von Herrn Theuring befanden.

Über eine gewundene, sehr schmale Treppe gelangte man in den ersten Stock zur Wohnung von Tante Magdalena. Wenn man die Wohnungstür öffnete, war man in ihrer Wohnküche, in der neben dem Eingang ein Gaskocher auf einem mit bunten Stoffgardinen verhängten Regal stand. Zwischen dem Fenster und der nächsten Tür waren der Eisschrank, ein Schränkchen, ein ausziehbarer Tisch vor dem hohen Küchensofa und zwei Stühle. An die Küche schloss sich das gute Zimmer an. Auf dem runden Tisch mit den Intarsien lag stets eine feine, durchbrochene Decke. Sie war so fein, dass sie eher wie ein kostbares Netz wirkte und die Einlegearbeiten der Tischplatte nicht verhüllte, sondern hervorhob. Um den Tisch standen sechs Stühle mit hohen geschnitzten Lehnen und dunklen Samtpolstern. Neben dem Fenster, das zum Hof ging, war eine Vitrine. Der obere Teil hatte Glastüren, hinter denen farbige Kelche zu sehen waren und Blumenvasen, in die Tante Magdalena aber nie Blumen stellte. Das seien Ziervasen, hatte sie mir erklärt, viel zu schön, um sie zu benutzen. Daneben befand sich die Kommode mit dem Musikwerk, einer alten Spieluhr. Eine schmale niedrige Tür führte zu ihrer Schlafkammer, einem winzigen Raum ohne Fenster. Tante Magdalena ließ uns nie hinein. Wenn sie etwas aus der Kammer benötigte, vergewisserte sie sich zuvor, dass wir beschäftigt waren. Sie huschte hinein und verschloss die Tür hinter sich, um dann, sorgsam um sich blickend, mit dem Gesuchten herauszukommen. Die Schlafkammer lag direkt über dem großen Ofen der Backstube, dadurch war es dort immer warm, und sie brauchte im Winter nicht zu heizen. Auch die beiden anderen Räume heizte sie selten, da die Backstube an sechs Tagen in der Woche ausreichend Wärme in die darüberliegende Wohnung abgab.

Im Sommer wurde es dort unerträglich heiß. Als ich Tante Magdalena einmal fragte, wie sie in einer so heißen Kammer schlafen könne, lachte sie auf und sagte: »Ich freue ich mich einfach auf den Winter, weil ich dann so viel Geld für Kohlen sparen kann. Und wenn ich aufwache, ist schon geheizt. Wie bei den vornehmen Herrschaften.«

Einmal, als die Tür nur angelehnt war und Tante Magdalena in der Küche beschäftigt, war meine Schwester einfach in die Kammer gehuscht. Tante Magdalena war sofort erschienen und hatte Dorle rasch herausgezogen und dann die Tür verschlossen. Sie war sehr aufgeregt und schimpfte mit ihr, und Dorle sagte, sie hätte nur die Tür richtig zumachen wollen, aber Tante Magdalena wirkte nervös und konnte sich gar nicht beruhigen. Als wir nach Hause gingen, fragte ich Dorle, was in der Kammer ist.

»Es sieht aus wie bei Hempels unterm Sofa. Verstehst du?«

Ich nickte. Vor ein paar Monaten hatte uns der Superintendent besucht, die Familie hatte mit ihm zusammen Mittag gegessen. Mitten in der Woche gab es Fleisch und jeder bekam eine dünne Scheibe. Als der Teller mit den beiden restlichen Stücken nochmals herumging, sagten wir alle, dass wir satt seien, wie Mutter es uns eingeschärft hatte. Der Superintendent hatte sich schließlich beide Bratenscheiben vom Teller genommen. »Es wäre doch schade, wenn die Gottesgabe verdirbt«, sagte er, als er das Fleisch vor unseren Augen auffraß. Später hatte er von seinen Besuchen in den anderen Pfarrhäusern erzählt und gesagt, daß es bei einem der Pfarrer ausgesehen habe, wie bei Hempels unterm Sofa. Dorle hatte ihn gefragt, was er damit meinte, und er hatte erklärt, dass es in der Amtsstube dieses Pfarrers sehr unordentlich sei und ein fürchterliches Durcheinander herrsche.

»Was ist denn drin? Red schon«, drängte ich Dorle.

»Lauter Kisten. Und stapelweise Kartons. Man kann sich in der Kammer gar nicht bewegen, so voll ist sie. Wenn mein Zimmer so aussehen würde, dann bekäme ich Stubenarrest, und zwar eine ganze Woche.«

»Und was ist in den Kartons, hast du das gesehen?«

»Nein. Vielleicht hat sie Schätze dort gesammelt.«

»In Pappkartons? Du bist blöd. Woher soll Tante Magdalena denn Schätze haben.«

»Vielleicht hat sie geerbt und ist ganz reich.«

»Das glaubst du doch selbst nicht.«

»Jedenfalls habe ich die Kammer gesehen und du nicht.«

Wir gingen regelmäßig nach der Schule zu Tante Magdalena, meine Geschwister und ich, um dort unsere Schularbeiten zu machen. Sie half sehr großzügig dabei. Das Schönschreiben, das ihr besonders wichtig war, mussten wir allein bewältigen. Sie ermahnte uns lediglich, langsam zu schreiben. Bei allen anderen Schularbeiten brauchten wir nur eine längere Pause zu machen und verzweifelt die Augen zu verdrehen, dann setzte sie sich neben uns und flüsterte das richtige Wort, die fehlende Zahl, erst tonlos und unhörbar, und, wenn wir sie nicht erraten konnten, ein wenig lauter, bis wir die gesuchte Lösung verstanden hatten und sie rasch niederschrieben. Anschließend, als ob sie sich vor sich selber entschuldigen wollte, sagte Tante Magdalena: »Es ist nicht zu glauben, was man von euch verlangt. Ich hätte das nicht gewusst. Aber ihr seid ja so schlau.« Und dann lachte sie. Nach ihren Worten waren wir die begabtesten Kinder, die sie je in ihrem Leben gesehen hatte.

Sie war nicht unsere richtige Tante, sondern eine Nenntante, wie meine Mutter erklärte. Sie hatte keine Kinder, auch keinen Mann, sie war nie verheiratet gewesen. »Es gibt solche Frauen«, hatte Mutter gesagt, »dafür habt ihr Tante Magdalena ganz für euch.«

Von ihr und meiner Familie habe ich schon immer erzählen wollen, doch jedesmal, wenn ich versuchte, darüber zu sprechen, musste ich feststellen, dass die Geschichten in meiner Erinnerung merkwürdige Lücken hatten, ein regelrechter Mottenfraß. Tante Magdalena kann ich nicht mehr fragen. Ich glaube auch nicht, dass sie meine Fragen beantwortet hätte, wenn ich sie früher gestellt hätte. Ich weiß nicht einmal, ob ich es damals überhaupt gewagt hätte, sie über die Dinge zu befragen, über die man früher nicht gern sprach, jedenfalls nicht vor einem Kind. Doch wenn ich noch länger warte, stirbt noch der eine oder andere, der mir dies und das berichten oder berichtigen kann. Deshalb habe ich einfach begonnen und werde versuchen, die Lücken zu füllen mit dem, was ich erlebt, und mit dem, was ich gesehen, aber nicht verstanden habe. Mit dem, was ich gehört habe, aber was mir nicht erzählt wurde. Und mit dem, was vor meinen Augen geschah und was ich dennoch nicht sah. Damals.

Ich versuche, die Geschichten zu vervollständigen, sie mit den Bruchstücken der Erinnerung anzufüllen, mit Bildern, die sich mir einprägten, mit Sätzen, die aus dem dunkel schimmernden Meer des Vergessenseins dann und wann aufsteigen und ins Bewusstsein dringen. Manche dieser Bruchstücke haben schartige Kanten, die in mir etwas aufreißen. Kleine Schnitte in der Haut, aus denen etwas hervorquillt. Oder wie Tante Magdalena damals sagte: »Wenn du mit dem nackten Hintern in einem Ameisenhaufen sitzt, kannst du keinen Faden in eine Nähnadel einfädeln. Probier das mal, mein Junge.«

Tante Magdalena hatte früher als Wirtschafterin bei einem Professor Buhrow gearbeitet. Sie sei eine Hausdame gewesen, sagte sie mir, und das sei etwas ganz anderes als ein Dienstmädchen oder eine Köchin. Sie habe sich um alles in der Villa des Professors gekümmert und den anderen Angestellten die Arbeit zugeteilt. Sie bestimmte, was gekocht wurde, sie besaß auch die Schlüssel für die Vorratskammer und die Vitrine mit den Schubläden, in denen das bessere Besteck und die Kandelaber aus Gold und Silber aufbewahrt wurden. Als meine Eltern nach dem Krieg hierher zogen, hatte sie die Stelle bereits aufgeben müssen. Der Professor hatte seine Häuser verloren und erhielt nur noch sein Gehalt, mit dem er keine Dienstboten und auch keine Hausdame bezahlen konnte. Sie hatte jetzt viel Zeit und ging häufig in die Kirche und zu den Frauenabenden, die mein Vater als Gemeindepfarrer leitete, und weil er sie darum gebeten hatte und sie ihn bewunderte, half sie manchmal meiner Mutter in der Küche und bei der Wäsche. Wir Kinder hatten sie gern, weil sie immer vergnügt war, und gingen sehr häufig zu ihr, fast jeden Tag.

Nach der Schule war ich mit Dorle, meiner jüngeren Schwester, oft allein bei Tante Magdalena. Mein älterer Bruder kam später oder gar nicht zu ihr, und die beiden jüngeren Brüder, die noch nicht in die Schule gingen, wurden nach Hause geschickt, sobald meine Schwester und ich mit den Schularbeiten begannen. Waren wir zu zweit, setzte sie einen an den Tisch in der Wohnküche, der andere durfte in der guten Stube sitzen, wo sie zuvor eine abwaschbare Decke über den Teil der Tischplatte gelegt hatte, auf dem ich oder Dorle zu schreiben hatte.

Waren wir mit den Schularbeiten fertig, nahm sie die Hefte in die Hand, schaute sich die Arbeit an und lobte uns. Danach setzten wir uns an den Küchentisch, und sie spielte mit uns »Krieg zur See«. Ich glaube, es war das einzige Spiel, was sie besaß. Es war ein Würfelspiel. Die Figuren wanderten über eine Pappe, auf die ein Hafen aufgemalt war und ein dunkelblaues, aufgewühltes Meer, auf dem verschiedene Kriegsschiffe, Fregatten, Korvetten, Briggs, Panzerschiffe und Segelkriegsschiffe, unterwegs waren. In der Mitte der Spielfläche kämpfte das Panzerschiff »Braunschweig« gegen die »Lord Nelson« von der britischen Kriegsflotte. Vor den Geschützen und Panzerdrehtürmen leuchtete es gelb und rot und der Himmel war mit schwarzem und grauem Rauch bedeckt. Winzige Figuren waren auf den Schiffen zu erkennen, Kapitäne, die mit einem Fernrohr auf dem Oberdeck standen, Matrosen, die Geschütze luden, mit Munitionskisten an der Reling entlangliefen oder über Bord fielen, schiffbrüchige Matrosen in Rettungsbooten mit weißen Flaggen. Die Spielsteine wanderten über das Schlachtengemälde, hatten Schiffe zu versenken und waren von Feinden bedroht. Sicherheit und Sieg versprachen nur die Aufenthalte auf einem Unterseekreuzer und einem Torpedoboot, die unzerstörbar am rechten und linken Rand des Spielfeldes die Stellung hielten und mit treffsicheren, tödlichen Torpedos den Krieg zur See beherrschten und entschieden. Tante Magdalena hatte uns gesagt, wir sollten von diesem Spiel in der Schule nichts erzählen, es sei schon sehr alt und stamme noch aus dem 1. Weltkrieg, einer Zeit, an die man sich heute nicht mehr erinnern wolle oder nur mit sehr bösen Worten. Es war also ein verbotenes Spiel, was seinen Reiz erhöhte. Und in der Schule hätten wir ohnehin nie davon erzählt, jedenfalls nicht den Lehrern.

Auch bei diesem Spiel lachte sie vergnügt und herzlich. Und sie ließ uns gewinnen, weshalb wir alle sehr gern mit ihr spielten.

Tante Magdalena lachte viel. Ihr Lachen begann stets mit einem lauten Juchzer und verlief sich in einem abschwellenden Gekicher. Den Juchzer stieß sie mit geöffnetem Mund hervor, sie hielt rasch die rechte Hand über die Lippen und nahm sie erst weg, wenn sie sich ausgelacht hatte. Sie lachte über die Scherze der Erwachsenen ebenso herzlich wie über die Späße der Kinder. Sie lachte auch, wenn es eigentlich überhaupt nichts gab, worüber man lachen konnte. Ich glaube, sie lachte, weil sie verlegen war. Sie lachte, weil sie nicht mehr weiter wusste und nichts mehr sagen konnte. Aber sogar wenn sie traurig und verzweifelt war, klang ihr Lachen unbeschwert und fröhlich. Auch der laute Juchzer, mit dem sie selbst dann zu lachen begann.

»Krieg zur See« wurde oft gespielt, zweimal, dreimal in der Woche, aber stets nur eine Partie. Am liebsten spielte ich allein mit Tante Magdalena. Wenn ich nur mit ihr würfelte, konnte es keinen Streit und keine Tränen geben.

Und außerdem legte Tante Magdalena nach dem Spiel eine der durchlöcherten Metallplatten mit den eingelassenen Stiften in die Spieluhr, klappte die Stange mit den

Gummirollen darüber, mit der die Platte auf dem Teller befestigt wurde, und zog das Musikwerk mehrmals mit dem großen Hebel auf, der an der Vorderseite des Automaten herausragte. Ich durfte den Starthebel bewegen. Der Apparat keuchte und knirschte leise, die verschieden gestimmten Zähne eines Metallkammes wurden von den herausragenden Stiften der Platte angerissen, und die Musik setzte ein.

Tante Magdalena besaß zwanzig Musikplatten, die in grauen Papierhüllen steckten und unter der Spieluhr übereinander gestapelt lagerten. Man musste sie behutsam aus der Hülle ziehen, um sich nicht an den winzigen, scharfen Stiften zu verletzen, die über die Oberfläche verteilt waren. Alle Platten waren dunkelgrau, und um ihren Mittelpunkt war mit Goldfarbe in einer altertümlichen Schrift der Name des Musikstücks und des Komponisten aufgedruckt sowie die Adresse der Firma, die die Platten herstellte. Tante Magdalena hatte einige Volkslieder, mehrere Militärmärsche, zwei Walzer, ein Klavierkonzert, ein Kirchenlied und – und diese beiden Platten liebte sie besonders – das »Gebet einer Jungfrau« und die Melodie »Ich bete an die Macht der Liebe«. Wenn sie eine dieser Platten auflegte, wandte sich Tante Magdalena beim Zuhören etwas ab und betupfte mit einem Taschentuch ständig ihre Brille. Als ich sie einmal fragte, wieso sie die Brillengläser und nicht ihre Augen wischte, sagte sie: »Du hast Recht, das ist eine dumme Angewohnheit von mir.« War das Lied abgespielt, räusperte und schneuzte sie sich. Sie lachte auf, stellte das Spielwerk ab, öffnete die gläserne Abdeckung und nahm die Metallplatte heraus.

»Warum hast du keine Kinder, Tante Magdalena?« fragte Dorle.

»Ach, mein Mädchen, für mich hat sich einfach kein Mann gefunden.«

»Wenn du willst, kann ich dich ja heiraten«, sagte Dorle.

»Würdest du das für mich tun?«

»Ja.«

»Bist du blöd. Du kannst Tante Magdalena nicht heiraten, du bist doch kein Mann«, sagte ich.

»Hast du denn nie einen Mann gehabt?«

»Ich hatte einen Bräutigam, aber das ist lange her. Viele, viele Jahre.«

»Und wo ist er? Warum hat er dich nicht geheiratet?«

»Er ist tot. Er ist gestorben. Drei Wochen vor unserer Hochzeit.«

»War er krank?«

»Er ist gefallen. Er ist im Krieg geblieben.«

»Als Soldat?«

»Er war Matrose. Ein Steuermann.«

»Ist das etwas Hohes?«

»Er gehörte zu den Offizieren.«

»Hast du ihn gesehen, als er tot war?«

»Nein. Er wurde vermisst. Man hat ihn nicht mehr gefunden.«

»Ist er das da? Auf der Fotografie?«

»Ja, das ist mein Bräutigam.«

»Und warum hast du keinen anderen genommen?«

»Ach Gottchen, ich habe mich wohl zu dumm angestellt. Mich wollte keiner.«

An dem Tag, an dem ich nach Westberlin übersiedelte, öffnete mir Tante Magdalena im Morgenmantel die Tür. Auf dem Küchentisch stand eine Tasse Kaffee und auf dem Teller lag ein angebissenes Hörnchen.

»Komm rein«, sagte sie. »Möchtest du ein Brötchen?«

Ich schüttelte den Kopf.

»Dann heißt es also, Abschied nehmen.«

»Wir sehen uns ja bald. Berlin, das sind doch nur zweihundert Kilometer.«

»Ja, ich weiß. Und ich habe mir ganz fest vorgenommen, dich zu besuchen. Aber du weißt ja, ich bin in meinem Leben noch nie so weit gefahren. Und ob es mir jetzt gelingen wird, weiß ich nicht. Hast du Angst?«

»Nein, Angst habe ich nicht. Mir ist nur etwas mulmig.«

»Du wirst es schon schaffen. Aber mir wirst du fehlen, Daniel. Ach, ich hasse es, Abschied zu nehmen.«

»Aber Dorle bleibt doch hier. Und die Kleinen.«

»Ja, aber du fehlst. Und dich kann mir keiner ersetzen. Als sie damals den Doktor Mandelbaum abholten, haben sie auch gesagt, es seien genug Ärzte in der Stadt. Aber so gut wie er hat sich keiner auf mein Rheuma verstanden. Doktor Mandelbaum, der hatte heilende Hände. Aber sie haben ihn abgeholt und ich hatte den Schaden. Und nun gehst du und ich kann sehen, wie ich zurechtkomme.«

»Wir sehen uns, Tante Magdalena. Ich muss jetzt losgehen. Vater fährt mich nach Berlin.«

»Gute Reise, Junge.«

»Auf Wiedersehen. Und bis bald«, habe ich gesagt, als ich mich von Tante Magdalena verabschiedete.

Aber ich habe Tante Magdalena nie wieder gesehen. Ich ging nach Westberlin und durfte nicht mehr in meine Heimatstadt fahren. Tante Magdalena schrieb mir zwar wiederholt, dass sie mich in Westberlin besuchen wolle, aber sie verschob es immer wieder, und dann starb sie. Auch zu ihrer Beerdigung konnte ich nicht fahren. An dem Tag machten wir das kleine Latinum und keiner bekam frei. Doch ich wäre ohnehin nicht gefahren. Der Schuldirektor und Pfarrer Sybelius hatten mich dringend ermahnt. Es sei zu gefährlich, sagten sie, weil ich heimlich nach Westberlin gegangen sei. Ich hatte die Republik verraten und stand auf der Liste.

Tante Magdalena trug jahraus jahrein lange Röcke, dunkelblaue oder schwarze mit kleinen Mustern, weißen Blümchen oder winzigen Schafen und Ziegen. Ihr

Haar war grau und zu einem Dutt gesteckt. Einmal, als ich auch so früh zu ihr kam, hatte sie es noch nicht hochgebunden. Es fiel ihr bis zu den Hüften hinunter, und ich konnte ihr zusehen, wie sie es aufwickelte und mit Haarnadeln schnell und geschickt zusammensteckte. Sie stand dabei in der Wohnküche vor dem Spiegel, der neben dem Ausguss an einem Nagel hing. Als sich unsere Augen in dem Spiegel begegneten, sagte sie rasch: »Warum schaust du mich so an? Ich will das nicht. Geh ins Zimmer, bis ich fertig bin.«

Sie war ganz rot geworden, als sie das sagte.

SCHÖNE BESCHERUNG

Auch Weihnachten sprach Mutter nicht mit Vater.

Nach dem Kirchgang gab es in der Küche Würstchen mit Kartoffelsalat. Die Großeltern waren zu Besuch gekommen. Für vier Tage hatten sie Holzwedel verlassen und ihr Gut den Landarbeitern anvertraut, was sie nur einmal im Jahr machten. Es war der einzige Urlaub, den sich die Großeltern erlaubten, und jeden Tag, den Großvater bei uns war, sprach er besorgt über das Gut und darüber, was dort in seiner Abwesenheit alles passieren könnte. Er verließ das Landgut, dessen Inspektor er war, ungern, aber zu Weihnachten besuchten sie uns jedes Jahr. Sie wohnten im Zimmer von David und mir, wir zogen für vier Tage in die alte Mädchenkammer.

Nach dem Essen verabschiedeten sich die Eltern geheimnisvoll. Wir wussten, dass sie nun ins gute Zimmer gingen, um nochmals nach den Geschenken zu sehen und die Kerzen am Baum anzuzünden, während wir mit den Großeltern am Tisch sitzen bleiben und Lieder singen, uns unterhalten oder ruhig sein, doch keinesfalls aufstehen und an der Tür lauschen sollten. Natürlich sangen wir nicht, auch Opa sang nicht, nur die Großmutter hielt mit heller, dünner Mädchenstimme ganz allein zwei Weihnachtslieder durch, worüber wir lachen mussten. Als sie uns fragte, was es zu lachen gäbe, sagte Dorle, wir lachten nur so, und ich sagte, wir lachen, weil wir uns auf die Bescherung freuen. Dann klingelte das Glöckchen auf dem Flur, wir rannten aus der Küche und stürmten ins gute Zimmer, ins Weihnachtszimmer.

Aufgeregt suchte jeder auf dem Gabentisch den Teil, auf dem die für ihn vorgesehenen Geschenke liegen mussten, und noch bevor er sich gründlicher mit den eigenen Geschenken befasste, wurde rasch kontrolliert, wieviel die anderen erhalten hatten. Vater rief uns zu sich. Wir mussten uns vor dem Weihnachtsbaum aufstellen, den er am Nachmittag allein geschmückt hatte, und ein Weihnachtslied singen. Zuerst hatten wir das Lied zu singen und dann den Bibeltext zu hören, da, wie Vater sagte, Weihnachten das Fest von Christi Geburt und das Schenken nicht die Hauptsache sei. Wir Großen schauten unverwandt in die Kerzen, nur die drei Kleinen hielten es nicht aus und blickten sich während des Liedes und beim Bibeltext immer wieder zu dem langen Tisch mit den Geschenken um; Vater legte ihnen dann die Hand auf den Kopf und drehte ihn sanft zurück. Und erst nachdem wir uns alle ein gesegnetes Weihnachten gewünscht hatten, durften wir zu den Geschenken gehen und mit ihnen spielen.

Etwas später verließ Großmutter das Zimmer und kam mit einem Sack zurück, in dem ihre Geschenke steckten. Wir mussten uns vor ihrem Stuhl aufstellen, und sie gab jedem von uns etwas, was sie selbst gemacht hatte, gestrickte Strümpfe, eine Mütze oder eine Hose. Und danach verteilten wir unsere Geschenke an die Eltern und Großeltern, die Zeichnungen oder die Topflappen und Holzsägearbeiten aus dem Werkunterricht.

Irgendwann sagte Vater, dass nun die Päckchen ausgepackt werden, die unter dem Weihnachtsbaum liegen, und jedes Kind konnte sich eins aussuchen. Das Auspacken dauerte sehr lange, denn wir durften die Verschnürung nicht durchschneiden, sondern mussten jeden Knoten aufknüpfen und die Schnur ordentlich aufrollen. Die Päckchen mussten vorsichtig ausgewickelt werden, damit das Packpapier nicht riß, das sorgsam geglättet und zusammengefaltet wurde. Vater sammelte die Verpackung und die Schnüre, um sie wieder zu verwenden. »Das ist eine ganz vorzügliche Schnur, mit der kann man noch große Pakete verschicken«, sagte er nur, wenn wir ihn darum baten, ein besonders stark verknotetes Päckchen aufschneiden zu dürfen.

»Vorzüglich« war alles, was aufgehoben oder weitergegeben werden sollte, das Packpapier und die Paketschnur ebenso wie die zu klein gewordenen Schuhe des Bruders oder die schon fadenscheinige Jacke, die zwei Flicken auf die Ellbogen bekam und vom nächsten Kind getragen werden musste.

War ein Päckchen geöffnet, wurde der Inhalt Stück für Stück herausgenommen und zuallererst nach Namensschildern gesucht. Wenn auf einem der in Weihnachtspapier eingepackten Geschenke ein Name stand, wurde es unausgewickelt überreicht, bei allen anderen Stücken bestimmten die Eltern, wer es erhielt. Die Lebensmittel kamen in die große Suppenterrine, die mitten auf dem Tisch stand. Vater schrieb alles auf, er notierte unter dem Namen der Absender den gesamten Inhalt und wer davon etwas bekommen hatte. Nach diesem Zettel wurde die Verteilung des nächsten Päckchens entschieden, vor allem aber wurde die Liste für den zweiten Weihnachtsfeiertag gebraucht, wenn die Familie Dankbriefe schreiben musste. Vater verlangte, dass sich jeder von uns für jedes Geschenk bedankte, und wir saßen einen ganzen Nachmittag am Tisch, schrieben lustlos die geforderten Danksagungen und lieferten sie bei Vater ab, der sie durchsah und mit seiner Liste verglich.

Mutter saß mit uns am Tisch, während wir die Päckchen auspackten, sie sprach mit uns und ihren Eltern, aber nicht mit Vater.

Sie sprach schon Wochen und Monate nicht mehr mit ihm, anfangs hatte ich es gar nicht bemerkt. Am Familientisch war es mir nicht aufgefallen und meinen Geschwistern wohl auch nicht, jedenfalls sagte keiner etwas darüber. Es war nicht so, dass Mutter schweigend am Tisch saß. Sie sprach mit uns, und wenn Vater etwas zu ihr sagte und eine Erwiderung unumgänglich war, antwortete sie ihm, aber dabei sah sie eins der Kinder an und äußerte sich sehr allgemein. »Ich denke, einer sollte morgen mal die Kartoffeln im Keller durchsehen«, sagte sie, oder sie erklärte: »Irgendjemand müsste mal die frisch gewaschenen Gardinen aufhängen.« Ich fand es eigenartig, wie Mutter sich ausdrückte, weil mir und allen anderen natürlich klar war, dass nur Vater gemeint sein konnte, aber ich dachte mir nichts weiter dabei. Doch Anfang Oktober fragte David meine Mutter, wann man in unserer Familie wieder normal miteinander umgehen würde und ob sie nicht endlich mit Vater reden wolle. Mutter sagte, dass er sich um seinen eigenen Kram kümmern möge, und begann zu heulen. Ich erkundigte mich bei meinem älteren Bruder, ob Mutter tatsächlich nicht mit Vater rede, aber er erwiderte nur, ich solle keine Märchen erzählen.

Beim Abendessen belauerte ich meine Eltern, um herauszufinden, ob sie sich wirklich nicht mehr miteinander unterhielten, doch sie redeten nur allgemein und sprachen sich nicht direkt an, und ich war mir nicht sicher. Fragen konnte ich sie nicht, das wäre unmöglich gewesen. Ich ahnte ohnehin, dass sie mir keine Antwort geben würden. Nur die Kleinen hätten sie fragen können, aber die hatten nichts bemerkt, und ich wollte ihnen nichts darüber sagen. So beobachtete ich sie weiter. Vater sprach Mutter ab und zu an, aber sie wich ihm aus und antwortete seltsam knapp und vage, ohne ihn dabei anzusehen. Wenn er überraschend in die Küche kam, wurde ihr Gesicht finster, und mit einer harten Bewegung stellte sie die Pfanne oder die Schüssel, die sie in der Hand hatte, auf dem Tisch ab.

Das ungewöhnliche Verhalten meiner Eltern beunruhigte mich, ich hatte Angst, sie würden sich trennen.

In meiner Klasse gab es drei Kinder, einen Jungen und zwei Mädchen, die nur noch mit ihrer Mutter zusammenlebten, da ihr Vater irgendwann bei ihnen zu Hause ausgezogen und die Ehe geschieden worden war. Vielleicht war es ein Zufall, aber alle drei hatten einen Tick. Einer musste sich immerzu irgendwo festhalten, um nicht zu stolpern. Wenn er durch die Klasse ging, strich er mit der Hand an den Bänken entlang, auf dem Schulhof fasste er stets nach dem den Hof umgrenzenden Zaun und beim Sportunterricht klammerte er sich so fest an die Geräte, dass es ihm unmöglich war, eine Übung auszuführen. Wenn er durch die Stadt lief, ging er dicht an den Häuserwänden entlang, mit den Fingern einer Hand das Mauerwerk streifend. Wir nannten ihn den Mauersegler. Eines der beiden Mädchen sah einem nie ins Gesicht. Wenn man sie ansprach, sah sie an einem vorbei oder auf ihre Schuhe, und wenn die Lehrerin sie aufrief, stand sie auf und starrte während ihrer Antwort angestrengt an die Zimmerdecke. Das andere Mädchen zuckte unaufhörlich mit einem Mundwinkel. Es war nur ein winziges Zucken, aber es machte einen nervös, und wenn ich mit ihr etwas zu besprechen hatte, musste ich mir Mühe geben, nicht ebenfalls mit irgendeinem Zucken anzufangen. Alle drei hatten keine Freunde in der Klasse und waren auch nicht miteinander befreundet, obgleich mir das einleuchtend erschienen wäre und sinnvoll. Die drei hatten wenig Geld. Es gab einige in der Klasse, deren Eltern nicht viel verdienten und die nur sehr selten etwas Neues vorzeigen konnten, und auch ich trug meistens ein paar der abgelegten Kleidungsstücke meines Bruders, aber diese drei waren richtig bedürftig, so wie die Kinder aus dem Heim, und wenn in der Klasse für einen Schulausflug oder eine Sonderveranstaltung gesammelt wurde, fragte unsere Klassenlehrerin diese drei Mitschüler noch extra, ob ihre Mütter das Geld bezahlen könnten oder ob sie bei der Schulleitung einen Antrag stellen solle. Besonders schrecklich schien mir aber, dass die drei Scheidungskinder nie etwas erlebten. Niemals unternahmen sie etwas, sie fuhren nie mit dem Bus in die Kreisstadt, sie machten keine Fahrradtouren, und in den Ferien blieben sie jedes Jahr daheim. Alle anderen in der Klasse waren schon einmal an der See gewesen oder fuhren in den Sommerferien zu entfernt wohnenden Verwandten, und an den Wochenenden veranstalteten die Familien ab und zu ein Fest, machten gelegentlich eine Gartenparty oder einen längeren Ausflug, für den man sich Tage zuvor mit einem Brief der Eltern vom Schulbesuch am Samstag befreien lassen konnte. Selbst für die Heimkinder wurde manchmal etwas organisiert, eine Busfahrt in den Zoo oder ein bunter Nachmittag im Heim. Nur die drei verreisten nicht und machten nie etwas, vom Schulbesuch waren sie nur befreit, wenn sie krank waren. Sie gingen nicht einmal zum Anger, wenn dort zweimal im Jahr Rummel war und ein Kettenkarussell, Losbuden und ein Schießstand aufgebaut waren. Ich wollte nicht, dass meine Eltern sich scheiden ließen, ich wollte nicht zu denen gehören. Ich wollte nicht in der ersten Woche des neuen Schuljahrs, wenn wir den üblichen Aufsatz über das schönste Ferienerlebnis zu schreiben hatten, wie sie dasitzen und auf dem Füllfederhalter herumkauen, weil es einfach nichts zu berichten gab.

Mit meinem älteren Bruder konnte ich nicht darüber sprechen, er sagte mir nur, dass ich den Mund halten und lieber Schularbeiten machen solle. Und Dorle hatte nichts bemerkt und würde nur wieder heulen, wenn ich ihr etwas davon sagte. Nur mit Tante Magdalena konnte ich mich darüber unterhalten.

»Mir ist schon aufgefallen, dass deine Mutter mit deinem Vater nicht viel redet«, sagte sie, als ich mich bei ihr erkundigte, »sie war schon immer eifersüchtig, deine Mutter. Und ist eine Frau eifersüchtig, dann wird das ganz schlimm, wenn sie schwanger ist.«

»Und wer ist es? Weißt du das?«

»Wer ist was?«

»Wer ist die Frau, wegen der Mutti eifersüchtig ist?«

»Die gibt es nicht, Junge. Wie kannst du nur so etwas denken! Natürlich gibt es keine andere Frau, nicht bei deinem Vater.«

»Aber wenn sie eifersüchtig ist?«

»Das ist wie eine Krankheit, gegen die kein Kraut gewachsen ist. Früher war ich auch eifersüchtig. Ich war fürchterlich eifersüchtig, mein Gott, wenn ich daran denke.«

Tante Magdalena begann zu kichern. Sie musste so heftig lachen, dass sie nicht weitersprechen konnte und sich eine Hand gegen den Mund presste. Ich sah sie verständnislos an und wartete darauf, dass sie sich wieder beruhigte. Ich verstand nicht, was an dieser schrecklichen Eifersucht, bei der man nicht mehr miteinander redet, lustig sein sollte.

»Ich war schon als Kind eifersüchtig«, gestand Tante Magdalena, »du weißt ja, dass mein Vater sehr früh starb, ich war erst zehn Jahre alt. Meine Mutter war so unglücklich, erst hatte sie ihren einzigen Sohn verloren und wenige Jahre später ihren Mann, da bat sie mich, nicht mehr in meinem Zimmer zu schlafen, sondern bei ihr, in den Ehebetten. Aber als ich zwölf war, lernte meine Mutter meinen Stiefvater kennen und heiratete ihn ein halbes Jahr später. Kannst du dir das vorstellen, plötzlich erscheint dieser fremde Mann, den ich Vater nennen musste und wegen dem ich in mein Zimmer zurückziehen musste. Ich war so eifersüchtig, ich kochte vor Wut.«

Sie prustete los, und ich wartete darauf, dass sie weitersprach.

»Die Hochzeitsfeier war bei uns zu Hause, in unserem Wohnzimmer. Irgendwann wurde ich ins Bett geschickt, in mein Zimmer. Aber nachdem Mutter Gute Nacht gesagt hatte, schlich ich mich in ihr Schlafzimmer und nähte die Ärmel und die Hosenbeine vom Pyjama meines Stiefvaters zu. Fein säuberlich mit einer Kreuznaht, so wie ich es in der Handarbeit gelernt hatte. Weder meine Mutter noch mein Stiefvater haben je darüber ein Wort verloren, nicht am anderen Morgen und auch nicht später. Und geholfen hat es nichts, die beiden sind zusammengeblieben, noch ein ganzes Leben lang.«

»Und du hast mit ihr kein Wort gewechselt?«

»Mit meiner Mutter? Ich habe sehr oft nicht mit ihr gesprochen. Ich habe mir immer wieder vorgenommen, nie mehr ein Wort mit ihr zu reden, oder mindestens eine Woche lang. Ich weiß aber nicht, ob sie es je gemerkt hat. Denn wenn ich mich sehr zusammengenommen habe, konnte ich es manchmal zwei Stunden lang durchhalten.«

Sie strahlte mich an, und ich sagte verärgert: »Das ist etwas anderes. Das war nicht so schlimm wie jetzt bei meinen Eltern. Das war Kinderkram.«

»Da hast Recht, Junge.«

»Und als du erwachsen warst, warst du da auch eifersüchtig?«

»Ein bisschen immer. Aber mein Verlobter, der war viel schlimmer. Mein Gott, hat der uns das Leben schwer gemacht, und dabei war ich so ein kleines, liebes Mädchen. Nein, war das ein verrückter Kerl.«

»Was hat er gemacht?«

»Vorwürfe. Er hat mir immerzu Vorwürfe gemacht. Wegen allem. Da entwickelte er eine Fantasie, das glaubst du nicht. In seinen Briefen stehen die unsinnigsten Vorwürfe und Beschuldigungen. Mein Gott, was war der eifersüchtig!«

»Weil er dich so sehr liebte?«

»Ja, das habe ich mir auch gesagt. Aber es war nicht einfach mit dem Kerl. Als er schon bei der Marine war und mich einmal besuchte, war ich nicht daheim, sondern übernachtete bei einer Freundin in einer anderen Stadt. Meine Eltern haben ihm alles erklärt, aber es hat nichts geholfen. Und ein Telefon, das hatte damals kaum jemand. Meine Mutter sagte ihm, dass ich am nächsten Morgen zurückkommen werde, und sie erlaubte ihm sogar, bei ihnen im Wohnzimmer zu übernachten, damit er mich gleich sehen könne, wenn ich nach Hause käme. Als ich am nächsten Tag an der Tür klingelte, öffnete er mir. Ich denke, ich falle um vor Freude, ich wusste ja nicht, dass er Urlaub bekommen hatte. Aber er starrte mich stumm an und sagte kein Wort. Dann fasste er meine Hand und führte mich in unser Badezimmer. Ach, dieser verrückte Kerl. In der Wanne, in unserer schönen großen Badewanne, schwammen meine Schuhe. Er hatte Wasser eingelassen und alle Schuhe von mir hineingeworfen, die Straßenschuhe und die Hausschuhe und sogar meine goldenen Ballschuhe, die handgenäht waren und mit denen ich nie auf der Straße herumlief, ich zog sie erst im Tanzsaal an, weil sie so wunderschön waren und weil sie fürchterlich drückten. Und nun schwamm alles in einer schmutzigen Brühe in der Badewanne, verbogen, aufgeplatzt, klitschnass. ›Aber warum?‹ sagte ich nur. Das war alles, was ich herausbrachte, so erschrocken war ich. ›Weil du über Nacht nicht zu Hause warst und damit du das nie vergisst‹, sagte er. Na, weiß Gott, das habe ich nie vergessen. Alle meine Schuhe waren hin, und ich musste monatelang mit meinen verbogenen Schuhen oder den abgelaufenen, klobigen Latschen meiner Mutter herumlaufen. So rasch könnte man gar keine neuen kaufen, das war ja ein Vermögen. Als meine Mutter die Bescherung sah, hat sie ihm in den Arm gekniffen, ganz fest, weißt du, so dass es weh tut, und zu ihm gesagt: ›Das kannst du machen, wenn du die Schuhe bezahlt hast, aber die hier hat das Mädchen von seinem und unserem Geld gekauft.‹ Als er zur Marine zurückfuhr und ich soviel wegen der Schuhe weinte, hat sie mir gesagt: ›Besser noch, er hat die Schuhe ersäuft, als dass er sich selbst in der Wanne ertränkt hätte. Möglich ist bei diesen Kerlen alles.‹«

»Was hast du mit den Schuhen gemacht?«

»Ich habe sie getrocknet und gespannt, aber viel los war nicht mehr mit ihnen. Ich musste sie schließlich wegwerfen. Nur die Ballschuhe habe ich mir aufgehoben, aber tragen konnte ich sie nicht mehr, sie waren eingelaufen und schief und krumm. Und ich habe gespart, um mir neue Schuhe zu kaufen. Viel verdient hat man ja damals nicht. Aber neue Ballschuhe habe ich mir nie mehr gekauft. Bernhard bekam noch einmal Urlaub, im März, mitten in der Passionszeit, da wurde nicht getanzt. Und drei Monate später wurde er vermisst und ich brauchte in meinem Leben keine Tanzschuhe mehr.«

»Hast du das meiner Mutter erzählt, das von den Schuhen? Vielleicht schmeißt sie Vaters Schuhe in die Badewanne.«

Wir malten uns aus, was passieren würde, wenn die Schuhe meines Vaters unbrauchbar wären und er mit Filzlatschen durch die Stadt laufen oder mit den alten Ackerschuhen auf dem Friedhof die Beerdigungen halten müsste. Tante Magdalena hat viel gelacht, aber geholfen hat mir das nicht.

Dass meine Mutter eifersüchtig war, wusste ich schon lange. Es hatte da eine Geschichte gegeben, als sie jung verheiratet waren. Die Eltern sprachen mit uns Kindern nicht darüber, aber ab und zu hörten wir eine spitze

Bemerkung meiner Mutter, und ein Name fiel immer wieder, Lucia. Wir waren dann ganz Ohr, um uns nichts entgehen zu lassen, doch Vater schüttelte zu Mutters Andeutungen nur nachsichtig den Kopf. Im Fotoalbum der Eltern, in dem ihr Hochzeitsfoto eingeklebt war, gab es ein Bild von Lucia. Sie stand mit meiner Mutter Hand in Hand vor einer Leinwand, auf die eine Gebirgslandschaft gemalt war. Irgendwann müssen die beiden einmal Freundinnen gewesen sein und vielleicht hatte Vater diese Lucia erst durch meine Mutter kennen gelernt. Ich erkundigte mich bei meiner Mutter nach dem Mädchen auf dem Foto. Sie warf nur einen kurzen Blick darauf und sagte: »Dieses Mädchen? Ich kann mich überhaupt nicht an sie erinnern. Wer weiß, wer das ist. Ich verstehe gar nicht, wieso dieses Bild in das Album geraten ist.«

Dann nahm sie mir das Album aus der Hand, schaute noch einmal auf das Bild und fügte hinzu: »Frag doch deinen Vater, der kann dir sicher sagen, wer das ist.«

Vater freute sich, als ich ihm das Bild zeigte. Er sah sich das Foto lange an, aber dann sagte er nur: »Ach, das ist lange her. Da warst du noch nicht geboren.«

Er nahm mir das Album aus der Hand und verschloss es in seinem Schreibtisch.

Da die Eltern nicht bereit waren, auf meine Fragen zu antworten, musste ich mich mit Mutters rätselhaften Andeutungen zufrieden geben, die ich aufmerksam registrierte.

Es war mir aufgefallen, dass Mutter die weiblichen Besucher meines Vaters argwöhnisch musterte, besonders wenn es junge Frauen waren, die ohne Begleitung bei ihm vorsprachen. Sobald es an der Haustür klingelte, stellte sich Mutter in die Küchentür, um zu sehen, wer die Treppe heraufkam und an das Arbeitszimmer meines Vaters klopfte. Kannte meine Mutter die Leute, unterhielt sie sich kurz mit ihnen, die anderen grüßte sie nur und wies auf die Tür, hinter der Vater saß.

Manche Besucher blieben sehr lange bei ihm. Sie gingen zu Vater, um mit ihm über eine Beerdigung zu sprechen, die jungen Paare wollten sich trauen lassen oder eine Taufe vereinbaren, und gelegentlich suchte ihn jemand auf, der sich als Erwachsener konfirmieren lassen wollte, um kirchlich heiraten zu können, und er wurde dann von meinem Vater unterrichtet. Wenn ich an der Tür lauschte, hörte ich manchmal eine verzweifelt klagende Stimme. Einige der Besucher verabschiedete Vater an der Tür seines Zimmers, andere begleitete er die Treppe hinunter und vor die Haustür. Und manchmal ging er danach zu meiner Mutter in die Küche, sagte den anwesenden Kindern, sie sollten in ihr Zimmer gehen, um mit ihr über den Besuch zu sprechen. Wir wussten, dass es sich dann um etwas Besonderes handelte, um einen Ehestreit oder ein anderes gewichtiges Ereignis in der Familie oder auf der Arbeitsstelle des Besuchers. Auch die Gemeindemitglieder, die das Land verlassen wollten, berieten sich mit meinem Vater und verabschiedeten sich am Abend vor ihrem Weggehen von ihm. Obwohl Vater nie ein Wort darüber vor uns Kindern verlor und sich sowohl mit den Besuchern wie mit Mutter nur leise unterhielt, erahnte ich aus wenigen aufgeschnappten Bemerkungen oder dem verschwörerischen Verhalten, das, je unauffälliger es scheinen sollte, desto deutlicher die Gefahr verriet, der sich meine Eltern und die Besucher mit ihrem Gesprächsthema aussetzten, die bevorstehende Flucht. Beim letzten und endgültigen Abschied sagte man sich in der Tür so herzlich Lebewohl, dass ich genau wusste, wohin die Reise ging, zumal sich die Besucher überraschenderweise auch von meiner Mutter und den anwesenden Kindern verabschiedeten und mein leicht zu rührender Vater sich die Augen wischte.

Besonders die ihr unbekannten jüngeren Besucherinnen, die das Arbeitszimmer meines Vaters allein betraten, beunruhigten meine Mutter. Blieben die Frauen ihrer Ansicht nach zu lange, ging sie gelegentlich hinein, um ihn etwas wegen des Mittagessens zu fragen. Oder sie schickte eins der Kinder mit einer Botschaft zu ihm und ließ sich detailliert berichten, was es im Arbeitszimmer gesehen und gehört hatte. Wenn die Frau sich verabschiedete, stellte sich Mutter so in der Küche auf, dass sie durch die geöffnete Tür einen Blick auf sie werfen konnte. Einige der Besucherinnen, die meine Mutter nicht kannten, gingen grußlos an ihr vorbei, weil sie in Gedanken waren und sie nicht bemerkten oder für die Haushaltshilfe hielten. Darüber konnte sie sich lauthals erregen, mit so kräftigen Worten, dass Vater aus dem Arbeitszimmer herauskam, um sich zu erkundigen, was passiert sei, und es kostete ihn viel Zeit, um sie zu besänftigen und von der Bedeutungslosigkeit der Besucherin zu überzeugen.

Die Eifersucht meiner Mutter war uns Kindern nur zu bekannt, und wir hatten oft Auseinandersetzungen zwischen den Eltern erleben müssen, die ihre Ursache allein in einer, wie mir schien, völlig unbegründeten Laune meiner Mutter hatten. Sie war sogar auf Tante Magdalena eifersüchtig, weil diese meinen Vater bewunderte und ihn nur mit »Herr Pfarrer« anredete und nicht Victor, obwohl er jünger war als sie. Wenn Tante Magdalena mit ihm sprach, errötete sie leicht, worüber sich Mutter aufregte.

Ich weiß nicht, warum Mutter so eifersüchtig war. Vielleicht ist Eifersucht wirklich eine Krankheit, gegen die kein Kraut gewachsen ist, wie Tante Magdalena sagte. Vater gab ihr keinen Anlass dazu, jedenfalls habe ich das nie bemerkt. Er musste natürlich mit vielen Frauen reden, das gehörte zu seinem Beruf, und es waren auch schöne Frauen dabei, aber ich glaube nicht, dass mein

Vater sich je in eine andere Frau verliebt hat, ich kann es mir zumindest nicht vorstellen. Vielleicht war Mutter aber auch nur unzufrieden, weil sie immer im Haushalt zu tun und die vielen Kinder zu versorgen hatte, besonders Michael und den Markus, die beiden Kleinen, denen man sogar noch die Schuhe zubinden musste.

Früher, in Schlesien, hatte sie als Krankenschwester gearbeitet, sie war erste Operationsschwester, wie sie mir sagte. Der Chefarzt habe nie operiert, wenn sie nicht im Haus gewesen sei. Sie hat mir auch erzählt, dass es viele Verehrer gegeben habe, aber sie habe sich für Vater entschieden, obwohl ihre Freundin ihr zu einer anderen, einer besseren Partie riet. Doch sie habe sich nun einmal in Vater verliebt, er sei ein so schöner Mann gewesen, und ihre Eltern, meine Großeltern, seien vor Stolz fast geplatzt, als ein studierter Herr um die Hand ihrer Tochter anhielt.

In unserem Album gibt es viele Bilder von Mutter als jungem Mädchen. Auf vielen Fotos ist sie mit Pferden zu sehen, sie war eine gute Reiterin, erzählte sie mir. Oder sie sitzt auf einem Hocker, hat Stiefel an und eine Reitpeitsche in der Hand und sieht verwegen in die Kamera. Sie berichtete mir auch von den Bällen, zu denen sie eingeladen wurde und auf denen die Männer sich darum rissen, mit ihr zu tanzen; es waren so viele, dass sie sich bei ihr anmelden mussten.

Nach der Geburt des ersten Kindes gab sie die Arbeit auf. Dann kam bald das nächste Baby, das war ich, und zwei Jahre später musste die Familie aus Schlesien fliehen und verlor ihren ganzen Besitz. So reich, wie sie vorher gewesen waren, wurden meine Eltern nie wieder, nur die Kinderschar wuchs und wuchs. Meine Mutter liebte ihren Mann sehr, sie bewunderte ihn, und sie liebte ihre Kinder, auch wenn ihr die Arbeit über den Kopf wuchs. Aber glücklich, glaube ich, ist sie nur damals gewesen, als sie in der Klinik erste Operationsschwester war, als sie auf dem Rittergut durch die Wälder galoppierte und die Ballbesucher bei ihr anstanden, um sich für einen Tanz anzumelden.

Tante Magdalenas Erklärung für das Schweigen meiner Mutter leuchtete mir darum ein, ohne dass sie mir die Furcht vor den Folgen dieses Verstummens nahm.

Mitte Dezember halfen alle Kinder beim Backen. Wir mussten den Teig in der Schüssel kneten, bis alle Zutaten vermischt waren. Mutter rollte den Teig aus, dann durften wir mit den unterschiedlichen Förmchen die Plätzchen ausstechen und auf das Blech legen. Die Kuchenbleche kamen in die Röhre, und wir blieben in der Küche, bis die Plätzchen fertig gebacken waren und jeder von uns ein noch heißes Stück zum Kosten erhielt. Mutter legte die Plätzchen dann sorgsam in Büchsen und Dosen, die erst Weihnachten geöffnet wurden.

Die Stollen wurden von Tante Magadalena in ihrer Küche vorbereitet, sie hatte die bessere Hand dafür, wie mein Vater sagte, aber das sagte er nur zu Tante Magdalena, nicht zu meiner Mutter. Die fertig geformten Stollen wurden auf ein großes Brett gelegt und, mit einem Tuch abgedeckt, nach unten zu Bäcker Theuring getragen. Am nächsten Tag konnten wir die fertigen und noch warmen Stollen mit dem Waschkorb abholen. Wir mussten zweimal gehen, weil es so viele Stollen waren. Eine Stolle wurde angeschnitten, damit sie gekostet werden konnte. Um sie zu schmecken, wie Tante Magdalena sagte.

Dann wurden die übrigen Stollen verteilt. Acht bekam meine Familie, die angeschnittene und zwei weitere blieben bei Tante Magdalena. Sie wickelte den Weihnachtskuchen in Leinentücher, und ich legte ihn auf ihren Küchenschrank, weil er, vom Probierstück abgesehen, erst am vierten Advent angeschnitten werden durfte. Die anderen schickte sie an Freunde und Verwandte. Ich verschnürte die Päckchen und füllte die Paketaufkleber aus, da Tante Magdalena nur die Sütterlinschrift beherrschte, die von den Beamten auf der Post nicht entziffert werden konnte. Dazu saß ich an dem runden Tisch in ihrem Wohnzimmer. Ich gab mir große Mühe, weil die Tante nur einen Aufkleber für jedes Päckchen in der Post gekauft hatte und mich, sollte ich mich verschreiben, zum Amt schicken würde, um einen neuen zu holen.

Zwei Tage vor Weihnachten hatte ich mit Großvater Siebzehnundvier gespielt. Großmutter saß bei uns am Tisch und unterhielt sich mit ihm. Sie sprachen über meine Eltern. Ich beschäftigte mich intensiv mit den Karten, die vor mir auf dem Tisch lagen, und versuchte, keine Fehler zu machen, während ich gespannt dem halblauten Gespräch zuhörte.

»Ich fürchte, sie treibt es zu weit«, sagte Großmutter, »irgendwann wird es Victor zu bunt. Und was dann? Ich muss immer an die Poggenpuhls denken. Was sollen wir tun? Wir können Mathilde nicht versorgen.«

»Das findet sich alles«, brummte Großvater.

»Sie ist so dumm. Aber man kann ja nicht mit ihr reden. Sie wird gleich grob.«

»Dumm, dumm! Natürlich ist es dumm. Aber von ihm ist es nun auch nicht gerade eine Glanzleistung. Sie haben doch schon genug Mäuler zu stopfen. Und so dicke haben sie es ja nicht. Da muss er sich halt ein bisschen zurückhalten.«

»Sprich nicht so laut. Denk an den Jungen.«

»Dann rede du doch nicht darüber. Irgendwann wird sie schon wieder mit ihm sprechen. Wie denn sonst.«

»Redet Mutti nicht, weil sie schwanger ist?«

»Jesusmaria«, sagte Großmutter.

Und Großvater sagte: »Ja. Und nun spiel deine Karte aus.«

»Aber dass du nichts sagst«, barmte Großmutter, »und vor allem nicht, dass du es von uns weißt.«

»Ich sage nichts, ich bin doch nicht blöd.«

Da die Großeltern schwiegen, fragte ich: »Lassen sie sich scheiden?«

»Wer? Was redest du denn, Junge?«

»Vati und Mutti, lassen sie sich scheiden?«

»Kein Mensch denkt an Scheidung, du Dummkopf.«

»Aber wenn sie doch nicht miteinander reden.«

»Das wird schon. Mach dir da mal keine Sorgen darüber. Das kommt vor, Junge, das passiert nun mal in einer Ehe. Wenn du groß bist, wirst du das verstehen. Nun mach dir mal keine Gedanken. Und vor allem, rede nicht drüber. Zu keinem, auch nicht mit deinen Eltern. Das musst du mir versprechen«, sagte Großmutter und sah mich mit ihren kleinen, tiefliegenden Augen besorgt an.

Großvater nahm die kalte Pfeife aus dem Mund, klopfte sie mehrmals gegen den Aschenbecher, legte sie vor sich auf den Tisch und strich sich bedächtig über die Glatze. »Paß auf die Karten auf«, brummte er, »wenn du Eselsohren reinkniffst, kann man sie für den Skat nicht mehr gebrauchen. Kostet alles Geld.«

Am Nachmittag erzählte ich Tante Magdalena, was ich erfahren hatte, doch sie war nicht allzu sehr überrascht.

»Das geht uns nichts an, Daniel«, sagte sie nur, »damit müssen deine Eltern allein zurechtkommen.«

Und dann erzählte sie, dass auch ihre Mutter einmal lange Zeit geschwiegen hätte. Als ihr Bruder starb, er war erst zehn Monate alt, hatte ihre Mutter überhaupt nichts mehr gesagt.

»Sie hat nicht geweint«, sagte Tante Magdalena. »Sie hat nicht geschrien. Sie war ganz still. Sie hat in ihrem Zimmer gesessen und geschwiegen. Nur zur Beerdigung ist sie mitgekommen, aber auch da hat sie kein Wort gesagt und keine einzige Träne geweint. Dann ist sie in ihr Zimmer gegangen, hat sich auf den Stuhl am Fenster gesetzt und hinaus geschaut. Und geschwiegen. Sie hat nicht gekocht, sie hat nichts eingekauft, sie hat im ganzen Haus nichts gemacht.«

»Und?« fragte ich. »Wie lange hat sie nichts gesagt?«

»Sehr lange. Ich glaube mehr als zwei Wochen. Genau weiß ich es nicht mehr.«

»Und dann?«

»Eines Tages hat es geregnet. Ich stand neben meiner Mutter und sah mit ihr aus dem Fenster hinaus in den Regen. Und da habe ich kleines dummes Mädchen gesagt: ›Jetzt wird unser Baby nass.‹ Da hat meine Mutter zu weinen angefangen und hat gleichzeitig gelacht und mich in den Arm genommen. Und sie wollte gar nicht mehr aufhören mit dem Weinen und dem Lachen. Und dann hat sie wieder gesprochen. So war das.«

»Weil du das von dem nassen Baby gesagt hast? Weil sie lachen musste?«

»Ja, vielleicht. Ich weiß nicht.«

Nachdem Mutter am Abend die Ziege gemolken hatte, brachte ich die Milch in die Kammer und goss sie in die Zentrifuge. Ich hatte das jeden Tag zu tun, weil keiner in der Familie die Kurbel der Zentrifuge so gleichmäßig und ruhig drehen konnte wie ich, damit die dünne, hellblaue Magermilch sich von der Sahne schied und in den großen Krug floß. Wenn die Sahne zu dünn wurde, ließ sie sich nicht buttern, und Mutter konnte sie nur noch zum Kochen und für den Kaffee verwenden. Nach dem Zentrifugieren baute ich die Maschine auseinander und brachte die blechernen Aufsätze und die Metallringe zum Abwasch. Die Krüge mit der Milch und der Sahne trug ich in den Keller, da wir keinen Eisschrank besaßen. Dann half ich Mutter beim Abtrocknen. Ich bemühte mich, ihr komische Geschichten zu erzählen, doch mir fielen nur Witze ein, die ich in der Schule gehört hatte, und die fand Mutter nicht so lustig. Jedenfalls lächelte sie nur ein wenig, und beim Abendbrot sprach sie wie immer kein Wort mit Vater.

Auch zu Weihnachten sprach sie noch immer nicht mit ihm, obwohl er ihr den teuren Mantel schenkte, den sie im Schaufenster des Modegeschäfts Grebe am Markt gesehen hatte. Da sie nun schon fast ein halbes Jahr nicht mehr mit Vater sprach, fragte ich mich ängstlich, ob sie etwa ihr ganzes Leben nicht mehr mit ihm reden würde.

Am Silvesterabend durften wir alle lange aufbleiben, die Kerzen am Weihnachtsbaum wurden erneuert und angezündet, und jedes Kind bekam einen Taschenkalender für das nächste Jahr geschenkt. Das war ein Kalender, den wir nicht mit in die Schule nehmen durften, weil es ein westlicher Kalender war, in dem es Feiertage gab, die bei uns nicht gefeiert wurden, und in dem politische Witze standen, die einem in der Schule Ärger machen konnten. Um Mitternacht, als die Kirchturmuhr zwölf schlug, goss Vater beim ersten Schlag für jeden Wein ein, auch die Kinder erhielten ein kleines Glas. Wir zählten die Glockenschläge mit und beim letzten Schlag stießen wir alle miteinander an und wünschten uns ein gutes neues Jahr. Als Vater sein Glas gegen das von Mutter stieß und ihr ein besonders glückliches Jahr wünschte, sah sie ihn an und sagte nur: »Und ein besseres Jahr für dich.«

Von dem Tag an sprachen sie wieder miteinander, und drei Monate später kam das Kind zur Welt, wieder ein Junge. Zwei Jahre später war meine Mutter erneut schwanger. Aber da wohnte ich bereits in Westberlin. Ich habe nicht erfahren, ob sie nochmals monatelang nicht mit meinem Vater gesprochen hat.

FLÜSSIGE LUFT

»Wir sehen uns erst in einer Woche«, sagte Herr Greschke, »unsere Stunde am Donnerstag muss ich an die Physik abgeben. Ihr habt also eine ganze Woche Zeit, das dritte Kapitel, Befreiungskriege Frankreich und Spanien, durchzuarbeiten. Wir werden am nächsten Donnerstag eine Kurzarbeit schreiben. Bereitet euch vor.«

Wir wollten von ihm wissen, warum die Geschichtsstunde ausfiel, aber Herr Greschke konnte oder wollte uns nichts sagen. In der übernächsten Stunde hatten wir Chemie bei Herrn Blumreich, der bei uns auch Physik gab, und er erzählte uns, dass am Donnerstag in der dritten und vierten Stunde alle siebenten und achten Klassen in der Aula zusammenkämen, um ein physikalisches Experiment zu erleben. Die Kreisschulbehörde schicke einen Wissenschaftler von der Leipziger Universität, der flüssige Luft vorführen werde. Jeder von uns sollte am nächsten Tag fünfundzwanzig Pfennige mitbringen als Unkostenbeitrag für die bei der Vorführung benötigten Materialien. Nur die Heimkinder brauchten nichts zu bezahlen, für sie würde die Schule aufkommen. Der dicke Robert meldete sich gleich und erklärte, dass er kein Geld habe und seine Mutter ihm auch nichts geben könne, aber dazu konnte Herr Blumreich nichts sagen, er wiederholte nur, dass außer den Heimkindern alle die fünfundzwanzig Pfennige mitbringen müssten, wenn sie die flüssige Luft sehen wollten.

Am Donnerstag, nach der ersten Hofpause, gingen wir in den zweiten Stock zur Aula. Die vier Klassenlehrer und Herr Blumreich standen an der Eingangstür und sagten uns, wo wir uns hinzusetzen hatten. Jede Klasse bekam zwei Reihen zugewiesen, die achten Klassen die hinteren, und wir mussten uns vorne hinsetzen. Die Lehrer blieben an der Tür, einer von ihnen, Herr Voigt, schrie alle paar Minuten, dass wir ruhig sein sollen, aber die anderen Lehrer kümmerten sich nicht um uns. Herr Blumreich rauchte sogar eine Zigarette, was im ganzen Schulgebäude außerhalb des Lehrerzimmers verboten war. Herr Blumreich rauchte in jeder Pause, er kümmerte sich überhaupt nicht um das Verbot. Er besaß einen silbernen Aschenbecher, den man verschließen und in die Tasche stecken konnte.

In der Aula herrschte eine gelöste, freudige Stimmung. In den nächsten zwei Stunden drohten keine Klassenarbeiten oder Leistungskontrollen, keine der gefürchteten Kurzarbeiten, die die genervten Lehrer anordneten, wenn die Klasse zu unruhig oder nicht ausreichend vorbereitet war. Wir mussten nichts mitschreiben, keiner würde uns aufrufen. Wir sahen ungeduldig dem Auftritt des angekündigten Experimentators entgegen. Es war wie im Kino, man konnte sich zurücklehnen und unbekümmert darauf warten, dass vorne etwas losgeht.

Im Kino gab es zwei, dreimal im Jahr solche außergewöhnlichen Auftritte. Einmal trat ein französischer Illusionist auf, der mit Kaninchen und Papierblumen zauberte und bei dem alles so oft misslang, dass einige der älteren Schüler laut pfiffen. In einem anderen Jahr kam ein Rechenkünstler, der sogar Professor Buhrow beeindruckt haben soll, obwohl der ein richtiger Mathematiker an der Universität gewesen war, wie mir Tante Magdalena sagte. Der Rechenkünstler konnte mühelos alle möglichen Zahlen, die man ihm zurief, addieren und subtrahieren, merkte sich alle Geburtstage, die man nannte, und rechnete mit zwanzigstelligen Zahlen, die man kaum aussprechen konnte.

Und jedes Jahr kurz vor den Sommerferien gab es eine Modenschau im Kino. Für diese Auftritte, für die ein Extra-Plakat ausgehängt wurde, musste man eine Mark mehr als sonst bezahlen. Die Vorstellung begann an diesen Tagen eine halbe Stunde früher, und es wurde nur die Wochenschau und der Hauptfilm gezeigt, der Kulturfilm fiel aus. Zu Beginn trat der Chef des Kinos vor den Vorhang und kündigte die Darbietung an, dann wurde das Saallicht etwas dunkler, und der erste Vorhang ging auf. Der zweite, grüne Vorhang blieb geschlossen, vor ihm lief die Modenschau ab. Anschließend gab es eine Pause von fünf Minuten, in der man noch einmal rausgehen konnte. Erst danach wurde es richtig dunkel im Saal, beide Vorhänge gingen nacheinander auf, und das eigentliche Kino begann mit der neuen Folge des Augenzeugen.

Die Modevorführungen waren langweilig, aber ich ging dennoch jedesmal hin, weil es etwas Besonderes war und weil Mutter mitkam und den Eintritt spendierte. In der Schule hatte einer erzählt, dass es in Leipzig Modenschauen gebe, wo Damenunterwäsche vorgeführt werde. Die Frauen marschieren über die Bühne mit fast nichts an und wenn man einen guten Feldstecher dabei habe, könne man alles sehen. Trotzdem müsse man nur eine Mark mehr bezahlen und ab vierzehn könne jeder rein. So etwas war bei uns nicht zu erblicken, und es waren auch keine tollen Mädchen, die etwas vorführten, sondern drei ganz gewöhnliche Frauen, die sich hinter der Bühne ununterbrochen umziehen mussten. Und da das sehr lange dauerte, erzählte der Conferencier zwischendurch etwas über die Stoffe, aus denen die Modelle gefertigt waren, und las mehrmals die Adresse des Modeinstitutes vor, bei dem die Sachen bestellt werden konnten.

Die drei Frauen zeigten Mäntel, lange Röcke und bunt bedruckte Kleider, manchmal kamen sie mit lächerlichen Hüten auf die Bühne, die bei uns niemand tragen würde. Nach jedem Auftritt gab es Beifall, zu dem der Conferencier das Publikum aufforderte, und Mutter und Tante Magdalena unterhielten sich pausenlos über die Modelle. Unterwäsche jedenfalls wurde in unserem Kino nie vorgeführt. Ich hatte Mutter gebeten, ihr kleines goldenes Opernglas mitzunehmen, aber während der Modenschau brauchte ich es nicht und war froh, als der Film begann.

In der Aula hatte es inzwischen schon zur Stunde geklingelt, aber es passierte nichts, und das war uns nur recht. Zehn Minuten nach Beginn der dritten Stunde tauchte ein kleiner Mann mit Mantel und einem breitkrempigen Hut in der Tür auf und sprach mit den Lehrern. Dann rief Herr Blumreich vier Schüler aus einer Achten zu sich, die mit dem Mann hinausgingen. Das Experiment verzögerte sich offensichtlich, und wir unterhielten uns leise, zufrieden damit, dass die Schulstunde mit Nichtstun verstrich. Wenn wir Glück hatten, konnten wir auch noch die fünfte Stunde in der Aula sitzen und danach gleich nach Hause gehen. Nach einigen Minuten kamen die vier Schüler mit zwei Holzkisten herein, begleitet von dem kleinen Mann, der nur eine schwarze Ledertasche trug und beständig auf die Jungen einredete. Sie setzten die Holzkisten behutsam vorn auf dem Podium ab. Der Mann stieg die Holztreppe an der Seite hoch, zog seinen pelzgefütterten Mantel aus und hängte ihn über das Treppengeländer. Er nahm seinen seidenen Schal und den Hut ab und legte beides sorgsam über den Mantel. Dann stellte er sich hinter das mit einer Fahne geschmückte Pult und sprach über Gasverflüssigung und flüssige Luft, über Druck und die kritische Temperatur. Wir hörten ihm gelangweilt zu und warteten darauf, dass er mit den versprochenen Experimenten begann.

Der Mann hatte vor Beginn des Vortrags seinen Namen genannt und den eines wissenschaftlichen Instituts, dem er angehörte oder das ihn geschickt hatte, aber in dem allgemeinen Stimmengewirr konnten wir diese Namen nicht richtig verstehen. Nur dass er einen Doktortitel führte, war unüberhörbar gewesen. Er hatte den akademischen Titel scharf akzentuiert hervorgestoßen, lauter als seinen eigenen Namen, als sei diese Mitteilung von besonderer Bedeutung für den Vortrag und das Experiment. Der Mann trug einen dunklen Anzug mit einer leuchtend roten Weste und eine breite, mit Astern bedruckte Krawatte. An den Händen hatte er mehrere Ringe, dicke Ringe mit großen Steinen, die man sogar von unserer Reihe aus erkennen konnte. Er bewegte sich langsam, mit einer eigentümlichen Ruhe, die elegant und müde wirkte, und während seines Vortrags sprach er leise, fast zu leise für die große Aula, und zwang uns damit, besonders ruhig zu sein. Während er sprach, schaute er uns nicht an. Auch kleine Störungen und Geräusche, die kommentierenden Bemerkungen eines Mitschülers oder der Hustenanfall eines Mädchens ließen ihn unbeeindruckt, gleichmütig und ohne die Stimme zu heben, fuhr er in seinen Erläuterungen fort. Manchmal streifte sein Blick über uns, ohne uns wirklich wahrzunehmen. Ansonsten blieb sein Blick auf das Pult gerichtet, auf das er sein winziges Manuskript gelegt hatte – eigentlich war es nur ein Zettel, den er seiner Brieftasche entnommen und auf dem er offenbar Stichworte für seinen Vortrag notiert hatte –, oder er schaute zur Seite zu seinen Holzkisten. Dabei bewegte er unaufhörlich seine Finger. Er schlug sie mit den Spitzen aneinander oder massierte sie, aber auch das wirkte nicht nervös oder unruhig. Es waren würdevolle Bewegungen, etwas lächerlich, doch sie beeindruckten uns trotzdem. Sein ganzes Benehmen war etwas grotesk, verwies jedoch auf Distanz zu uns; es verdeutlichte, wie sehr ihn sein Auftritt vor uns anstrengte, wie wenig ihm daran lag, uns tatsächlich zu unterrichten, uns etwas beizubringen. Selbst wenn er einen Scherz machte, was selten geschah, und dabei ironisch lächelte, gab er uns zu verstehen, für wie überflüssig und vergeblich er seinen Vortrag hier hielt, wie unsinnig und quälend es für ihn war, vor uns zu sprechen.

Bereits sein Erscheinen hatte etwas von dieser Spannung verraten, als er mit der eleganten Ledertasche zum Podium schritt, leise auf die vier Schüler einredete, sie ermahnend, seine unförmigen, aus groben Latten zusammengenagelten Holzkisten behutsam zu tragen. Nachdem sie schwer atmend die Kisten auf der Bühne abgestellt hatten, bat er die Jungen, diese noch nach seinen Wünschen auszurichten, bevor er sie mit einem Lächeln entließ, das sowohl Dankbarkeit wie Hochmut verriet. Jede Geste verdeutlichte seinen herablassenden Stolz, seine Scherze und ironischen Bemerkungen waren nicht eigentlich heiter und führten bei uns nicht zu einem ausgelassenen oder zumindest befreienden Lachen. Auch sein Humor hatte etwas Übellauniges und seine heitere Stimmung war eigentlich verdrossen. Dieser Herr Doktor ließ uns augenfällig spüren, wie wenig ihm diese Stunde bedeutete und wie ihn unser durchaus erwartungsvolles Interesse langweilte und dass er lediglich eine lästige Pflicht erfüllte.

Sein Benehmen hatte zur Folge, dass eine eigentümlich fiebernde Erwartung entstand. Wir wurden ruhig, um die leise vorgetragenen Worte zu verstehen und die befremdlichen und arrogant erscheinenden Bewegungen des Mannes auf dem Podium zu verfolgen. Dabei wirkte der Mann wenig anziehend auf uns, seine Manieren und seine für einen Vormittag in der Schule fast zu festliche

Kleidung standen in einem auffälligen Gegensatz zu seiner sonstigen Erscheinung, denn er war schmächtig und klein. Die Schüler, die die Kisten getragen hatten, überragten ihn alle um einen halben Kopf. Sein Mund war eingefallen wie bei einem zahnlosen alten Mann und schien, selbst wenn er sprach, verschlossen zu sein. Die Augen, dunkel umrandet, lagen tief in den Höhlen, sein Gesicht war aschfahl und ausdruckslos. Die Eleganz seines Anzugs schien aufgesetzt, er wirkte wie ein Kostüm. Und dennoch verstand es dieser Mann, uns durch seine gewählten Worte, seine Arroganz und seine uninteressiert höhnische Gleichmütigkeit zu fesseln. Seinen Vortrag begriffen wir nur zum Teil, die Formeln und Berechnungen blieben uns rätselhaft, zumal er sie nur kurz nannte und auf Wiederholungen und das übliche uns vertraute pädagogische Bemühen um die Vermittlung eines schwierigen Stoffes verzichtete. Seine Verweise auf physikalische Gesetze und vergleichend erwähnte Forschungsergebnisse benachbarter Disziplinen überstiegen unsere Kenntnisse beträchtlich, doch er nahm auf unseren, durch leises Aufstöhnen zum Ausdruck gebrachten Protest keine Rücksicht und setzte unbeeindruckt seinen Vortrag fort, der gewiss eher für Studenten der Physik geeignet – und vielleicht auch ursprünglich für diese vorgesehen war – als für dreizehn- und vierzehnjährige Schüler einer Grundschule.

Endlich ging er zu den Kisten und öffnete sie, dabei sprach er über die komplizierten Behälter, in denen die flüssige Luft transportiert werden müsse, und dass sie trotz größter Sorgfalt selbst in den verschlossenen doppelwandigen Flaschen verdampfe. Seiner Aktentasche entnahm er Handschuhe, die er sich überstreifte, füllte danach mit speziellen, ungewöhnlich geformten Zangen eine Glasröhre mit flüssiger Luft und zeigte sie uns. Er schüttelte das Glas, eine bläuliche, sehr leicht wirkende

Flüssigkeit bewegte sich in dem Kolben und wurde langsam dunkler, während ein dichter Nebel über den Glasrand und die Zange kroch und zu Boden sank. Er stellte die Glasröhre behutsam auf dem Pult ab. Durch den fallenden Nebel konnten wir die Farbveränderungen der Flüssigkeit erkennen. Wir sahen, wie die verflüssigte Luft, die in ihren natürlichen Aggregatzustand zurückfiel und sich in einer schummrigen Wolke auflöste, in dem Glas langsam, aber beständig abnahm. Dann holte er ein Hühnerei aus der Aktentasche, legte es in die Haltevorrichtung einer langen, medizinisch wirkenden Zange aus metallisch glänzendem Draht und hielt, die rechte Hand mit einem Handschuh geschützt, die Zangenspitze mit dem Ei für einige Sekunden in die bläuliche Flüssigkeit. Die flüssige Luft schien zu kochen, es dampfte noch stärker, weiße, durchsichtige Schwaden zogen über den Rand des Glaskolbens und flossen herunter. Während er das Ei ins Glas hielt, fragte er uns, was in diesem Moment im Glas vorgehe. Ohne jedoch auf eine Reaktion von uns zu warten, ohne überhaupt aufzublicken, zog er darauf das Ei wieder heraus, hielt es hoch und erklärte uns den physikalischen Ablauf. Mit einem Mal schlug er das Ei überraschend und kräftig mit der Zange gegen das Pult, es klang, als würde er mit einem Stein auf das Holz einschlagen.

Seinen Ausführungen zuvor waren wir aufmerksam gefolgt, mehr von seinem eigentümlichen Benehmen, seiner äußeren Erscheinung und den geziert wirkenden Bewegungen gebannt als von den uns überfordernden Erklärungen. Dem Experiment aber folgten wir mit tatsächlicher Neugier. Es wurde unruhig im Saal, als er die Luft abfüllte, und als er mit dem Ei hantierte, gab es die unterschiedlichsten halblauten Kommentare, so dass sich die anwesenden Lehrer bemüßigt fühlten, flüsternd um Ruhe zu ersuchen. Die Demonstration mit dem steinhart gewordenen Hühnerei jedoch erregte nicht nur Erstaunen, es waren skeptische Einwände zu hören. Wir hatten nur die Versicherung des bizarren Doktors und keinen Beweis erhalten, dass er tatsächlich ein rohes, zerbrechliches Ei in die flüssige Luft getaucht hatte und nicht etwa ein künstliches, ein Gipsei.

Der Mann auf dem Podium blieb unbeeindruckt von der aufkommenden Unruhe im Saal. Er verstaute das tiefgefrorene Ei in einem Behälter. Aus der Aktentasche nahm er eine einzelne Rose, langstielig und bereits etwas welk. Er fasste die Rose am Ende des Stiels, zeigte sie hoch und tauchte die rote Blüte in das Glas, in dem die flüssige Luft nur noch wenige Zentimeter hoch stand. Mit den durch einen Handschuh geschützten Fingern hielt er die Blume ganz ruhig und beobachtete schweigend das aufbrodelnde verflüssigte Gas. Dann zog er sie heraus und versuchte den Stengel so zu drehen, dass die Blüte nach oben wies, aber da der überraschend erstarrte und mit einem weißen Schimmer überzogene Rosenkelch den Stengel zu brechen drohte, ließ er ihn sinken und betrachtete ihn einige Momente versonnen. Mit einer raschen Bewegung schlug er die Rose gegen das Pult, der Kopf der versteinerten Rose zerschellte mit einem schneidend hellen Klirren in tausend Stücke, die neben dem Pult zu Boden fielen. In der Hand hielt er nur noch den Rest des Blumenstengels. Ein Mädchen aus der ersten Reihe sprang auf und rannte zum Podium, doch ein scharfer, gezischter Laut ließ es bewegungslos innehalten, den Oberkörper leicht geneigt, einen Fuß vorgestreckt.

»Setz dich sofort wieder hin«, sagte der Mann streng, »du darfst das nicht anfassen, du würdest dich verbrennen.«

Es gab Gelächter im Saal, eine grummelnde Verwunderung über die überraschende, uns unsinnig erscheinende

Bemerkung. Das Mädchen drehte sich um und schritt mit tänzelnden Bewegungen, eine Grimasse schneidend, zu ihrem Platz zurück. Der Doktor wandte sich dem Pult zu, beugte sich darüber und hielt den Kopf zur Seite, als sei er tief in Gedanken versunken. Plötzlich, mitten in diese Pause, segelte eine Papierschwalbe durch die Aula. Sie musste aus der Reihe hinter mir gekommen sein, ich hatte den Luftzug verspürt, mit dem der Papiervogel direkt hinter meinem Kopf gestartet worden war. Als die Schwalbe die erste Reihe erreichte, stieg sie in einer seitlichen Kurve nach oben, überquerte das Podium von rechts nach links und landete auf dem Pult. Es gab lärmende Begeisterung, als der Papiervogel direkt unter der Nase des kleinen Doktors liegen blieb. Natürlich war es ein Zufall, sagte ich mir, so gut kann keiner eine Schwalbe fliegen lassen, dass sie ganz genau auf einem zehn Meter entfernten Pult landet. Aber diese Überlegung tat meiner Begeisterung für den Wurf keinen Abbruch. Einige Schüler klatschen Beifall, doch das wagte ich nicht. Der Mann hinter dem Pult hielt schweigend seinen Kopf zur Seite gekehrt. Es schien, als hätte er den Flug der gefalteten Papierschwalbe und ihre Landung nicht wahrgenommen. Auch die plötzlich ausbrechende heftige Unruhe vermochte ihn nicht zu bewegen, aufzublicken und nach der Ursache für den Lärm zu forschen.

Herr Voigt, einer der Klassenleiter einer Achten, eilte nach vorn. Vor der ersten Reihe blieb er wutentbrannt stehen, schlug mit ausgestrecktem Zeigefinger zweimal energisch in die Luft und brüllte dazu: »Du und du, raus!«

Hinter mir stand Bernd auf, ein Schüler aus meiner Klasse. Ich drehte mich nach ihm um und grinste ihn an. Ich hatte den Kopf noch immer nach hinten gewendet, als Voigt in meine Reihe kam, mich am Jackenärmel ergriff und hochzerrte.

»Hast du nicht verstanden? Raus!«

»Aber ich habe gar nichts gemacht«, protestierte ich.

»Lüge nicht noch. Ich habe alles gesehen. Raus!«

Er zog mich aus der Reihe und stieß mich in Richtung Ausgang, so dass ich unter dem höhnischen, schadenfrohen Gelächter der Schulkameraden stolperte. Bevor ich die Aula verließ, warf ich einen Blick zurück. Die Lehrer und alle Schüler sahen zu uns, der kleine Doktor hielt den Kopf gesenkt, als würde ihn das alles nichts angehen.

Wir gingen zusammen ins Klassenzimmer, um unsere Mäntel zu holen. Dann lief ich mit Bernd auf den Schulhof und wartete auf das Ende der Vorführung.

»Toller Wurf«, sagte ich, »da hat aber der Zufall mächtig nachgeholfen.«

»Was für ein Zufall? Das war kein Zufall, das kannst du mir glauben«, meinte er.

Ich wusste, dass er log.

»Was meinst du, wird es einen Tadel geben?«

»Ja«, sagte er finster, »das wäre mein dritter.«

»Was soll ich denn sagen? Mir verpasst man einen, dabei habe ich überhaupt nichts gemacht. Kannst du nicht sagen, dass du es warst? Wir müssen doch nicht beide einen Tadel abfassen.«

»Und alles wegen dieser schwulen Sau«, sagte er, ohne auf meine Frage einzugehen.

»Wieso schwule Sau?«

»Hast du das nicht gemerkt? Der ist doch stockschwul, der Kerl.«

»Dieser Doktor?«

»Natürlich. Das ist eine Tunte.«

»Woher willst du das wissen?«

»Das sieht man doch. Schon wie der angezogen ist! Und wie der läuft! Du kennst doch den alten Barmer?«

»Den vom Friedhof?«

»Ja, von eurem Friedhof. Das ist auch eine Tunte. Der

läuft so schwul, als ob bei ihm die Beine verkehrtrum eingeschraubt sind. Mein Vater hat den sogar schon mal in Frauenkleidern gesehen.«

»Ist das wahr?«

»Meinst du, mein Vater lügt? In Frauenkleidern, mitten in der Stadt!«

»Aber warum denn in Frauenkleidern?«

»Das machen die Schwulen so. Haben wohl Spaß daran, die Leute zu erschrecken, oder so.«

»Mit Frauenkleidern könnte mich keiner erschrecken. Da ist doch eine Maske besser, so eine richtig gruselige Maske. Ein Mann, der in Frauenkleidern rumläuft, das ist doch eher zum Totlachen.«

»Vielleicht wollen die das. Die sind doch nicht ganz richtig im Kopf.«

»Und der in der Aula, das ist so einer? Du meinst, der läuft in Frauenkleidern herum?«

»Nicht immerfort. Aber das ist ein Schwuler, das kannst du mir glauben.«

»Woher willst du das wissen? Er hat doch einen ganz normalen Anzug an.«

»Die trägt er natürlich nicht am Tage. Aber wenns dunkel wird.«

»Kannst du dir vorstellen, in einem Kleid herumzulaufen?«

»Das wäre das Letzte. Und die schminken sich sogar. Wie die Weiber.«

»Woher weißt du denn das?«

»Von meinem Vater. Er kennt die. Und er hat mir gesagt, ich soll aufpassen. Die versuchen dauernd, sich einen Jungen zu angeln, um an ihm herumzumachen.«

»Was denn herummachen?«

»Na, was schon! Die greifen einem in die Hose.«

»Das ist ja zum Kotzen.«

»Ja. Denen muss man gleich eine aufs Maul hauen, sagt

mein Vater, denn davor haben die Schiss, das sind nämlich alles Memmen.«

»Hast du das schon mal erlebt?«

»Nein. Aber wenn bei mir einer rummachen will, dem trete ich in die Eier.«

»Und der Barmer, das ist einer? Hat der schon mal mit einem Jungen rumgemacht?«

»Weiß ich nicht. Ich geh dem aus dem Weg. Ich gebe dem nie die Hand. Ist besser so, sagt mein Vater.«

»Das ist auch besser. Würde ich nie tun.«

»Du? Aber dein Vater beschäftigt den doch.«

»Nein, der ist doch beim Friedhof.«

»Aber dein Vater hat ihn eingestellt.«

»Weiß ich nicht.«

»Aber mein Vater weiß das. Deswegen geht mein Vater auch nicht in die Kirche, weil dein Vater eine schwule Sau bei sich einstellt.«

»Vielleicht weiß mein Vater nicht, dass der schwul ist.«

»Der will das nicht wissen? Das wissen doch alle. Aber so sind die Pfaffen.«

Ich erwiderte nichts. So wie Bernd redeten viele in meiner Klasse und auch einige Lehrer machten gelegentlich abfällige Bemerkungen über den Beruf meines Vaters. Ich ärgerte mich darüber, aber ich ließ mir das nicht anmerken. Und ich erzählte auch Vater nichts davon. Er würde nur wieder einmal beim Direktor erscheinen, um sich zu beschweren, und dann würde ein Lehrer in der Klasse etwas über den Besuch meines Vaters sagen, und die halbe Klasse würde sich amüsieren und dumme Witze reißen.

Wir lehnten an der Mauer und starrten nach oben zu den Fenstern der Aula, in denen sich der Himmel spiegelte.

»Und warum machen die das, die Schwulen?« fragte ich.

»Das sind halt Schweine. Früher hat man die in Lager gesteckt, weil sie perverse Schweine sind. Aber heute dürfen die machen, was sie wollen.«

»Das ist ekelhaft.«

Ich überlegte, was der alte Barmer und dieser Doktor eigentlich anstellten, wenn sie mit den Jungen herummachten. Ich wusste es nicht und ich konnte mir nichts vorstellen, aber ich wollte Bernd nicht fragen, um mich nicht lächerlich zu machen. So starrte ich mit ihm zu den Fenstern der Aula hoch und malte mir aus, wie der Doktor in Frauenkleidern und mit dick geschminkten Lippen auf dem Podium stände, auf den Wangen glitzernde Monde und Sterne aus rotem und silbernem Strass, wie ihn sich die Mädchen aus meiner Klasse beim Fasching ins Gesicht klebten, und den dort versammelten Schülern etwas über Kälte und Druck und Dewarsche Gefäße erzählte, in der Hand eine in der flüssigen Luft erstarrte Rose.

Kurz vor dem Pausenklingeln kamen die anderen auf den Hof. Sie erzählten uns von den Experimenten, die der Doktor vorgeführt hatte, nachdem wir die Aula verlassen mussten, aber vor allem wollten sie von Bernd hören, wie es ihm gelungen sei, die Schwalbe genau auf dem Pult landen zu lassen.

Zehn Minuten später, als alle auf dem Hof waren und ihre Brote aßen, erschien der Doktor mit Herrn Blumreich in der Schultür. Nachdem sie sich verabschiedet hatten, überquerte der Doktor den Hof in Richtung Kirche. Vielleicht, dachte ich, geht er jetzt auf den Friedhof, zu dem alten Barmer. Mir schoss ein anderer Gedanke durch den Kopf, und ich rannte los und stellte mich ihm in den Weg. Ich tat so, als würde ich ihn nicht bemerken, und er musste um mich herumgehen. So konnte ich ihn ganz genau und von nahem betrachten. Es sah nicht so aus, als ob er geschminkt war, aber vielleicht waren die dunklen Ringe um seine Augen nicht echt.

»Was wolltest du denn von dem?« fragte mich Bernd, als ich zurückkam.

»Geschminkt war er nicht«, sagte ich nur.

Robert erzählte, dass er geholfen hatte, die Kisten mit der flüssigen Luft beim Hausmeister unterzustellen. Der Doktor wollte sie erst am nächsten Tag abholen, und wir überlegten, wie wir es anstellen könnten, die Flaschen aus dem verschlossenen Verschlag neben der Wohnung des Hausmeisters herauszuholen. Wir überboten uns gegenseitig mit Einfällen, was wir mit der flüssigen Luft anstellen würden, aber uns war klar, dass wir nicht eine der großen Kisten unbemerkt aus dem Schulgebäude herausholen könnten. Bernd wiederholte, dass der Doktor schwul sei. Einige von uns nickten, aber ich merkte, dass auch sie nicht genau wussten, was das ist, und nur so taten, als wüßten sie Bescheid.

In der nächsten Stunde hatten wir Deutsch bei Fräulein Kaczmarek. Bevor sie mit dem Unterricht begann, schrieb sie Bernd und mir einen Tadel ein, obwohl sich mehrere Mitschüler meldeten und erklärten, dass wir beide keinesfalls den Vogel geworfen hätten. Dann stand Bernd auf und verlangte sein Geld zurück. Er habe fünfundzwanzig Pfennige bezahlt und sei zu Unrecht aus der Aula verwiesen worden, bevor er die Vorstellung sehen konnte. Jedenfalls habe er nichts gesehen, was fünfundzwanzig Pfennige wert war. Die Klasse johlte, und Fräulein Kaczmarek war verwirrt und sagte, er solle sich sofort hinsetzen und den Mund halten. Bernd blieb stehen und wiederholte trotzig, er wolle sein Geld zurück. Die Klassenlehrerin sagte, dass sie sein Geld nicht habe, und alles, was er von ihr bekommen könne, wäre noch ein Eintrag ins Klassenbuch.

Am Nachmittag klopfte ich an die Tür des Arbeitszimmers meines Vaters. Ich musste den Tadel in meinem Hausaufgabenheft unterschreiben lassen und mit solchen unangenehmen Geschichten ging ich zu Vater. Mutter erregte sich sofort, wenn sie hörte, dass eins ihrer Kinder irgendetwas angestellt hatte. Sie gab immer uns die Schuld, und es setzte eine Ohrfeige, bevor sie sich überhaupt alles angehört oder den Eintrag gelesen hatte. Sie beschimpfte auch den Lehrer oder den, der sich über uns beschwert hatte, doch wir bekamen unser Fett gleichermaßen weg. Vater dagegen ließ einen Platz nehmen, lauschte mit besorgtem Gesicht der Geschichte und den Erklärungen, fragte nach allen möglichen Einzelheiten und ließ sich versichern, dass wir die reine Wahrheit sagten. Dann unterschrieb er den Tadel der Lehrerin oder die schlechte Zensur. War ein Nachbar zu ihm gekommen, um sich über uns zu beklagen, rief er den Beschuldigten hinzu, hörte sich geduldig an, was beide Seiten vorzutragen hatten, und bemühte sich, einen Kompromiss zu finden. Wir sollten Frieden halten, wiederholte er häufig, und er legte großen Wert darauf, dass wir uns beim Verabschieden die Hände gaben. Vater wollte den Ausgleich, die Versöhnung. Er schien wirklich zu leiden, wenn ihm dies nicht gelang und einer nicht bereit war, einzulenken und nachzugeben, oder gar wütend Vaters Arbeitszimmer verließ.

Ich erzählte Vater von der Vorführung in der Aula, von der flüssigen Luft und den in der Eiseskälte erstarrten Rosenblättern. Und von der Papierschwalbe, die auf dem Pult des Doktors gelandet war. Ich sagte ihm, dass ich den Vogel nicht geworfen hatte und völlig zu Unrecht bestraft worden sei. Vater fasste mich am Kinn, zwang mich, ihn anzusehen, und fragte eindringlich, ob das wahr sei. Zu guter Letzt sagte er nur: »Die Welt ist nicht gerecht. Der gesunde Menschenverstand hätte deiner Lehrerin sagen müssen, dass sie nicht zwei Schüler für ein Vergehen bestrafen kann.«

Er unterschrieb den Tadel und setzte noch einen Satz

darunter, den er mir anschließend vorlas. Er hatte Fräulein Kaczmarek geschrieben, dass der Fortschritt offensichtlich fortschreite, denn zu seiner Schulzeit habe eine Papierschwalbe stets nur von einem Schüler geworfen werden können, aber seit neuestem sei dies offensichtlich im Kollektiv möglich. Solche Bemerkungen liebte Vater und er zitierte gern seine eigenen ironischen Sätze. Meistens aber wurden sie nicht verstanden, und es kam häufiger vor, dass mich ein Lehrer nach vorn rief und mich bat, ihm Vaters Satz vorzulesen, da er dessen Handschrift nicht entziffern könne, und mich dann fragte, was mein Vater damit meine, denn der Sinn der Äußerung sei ihm unverständlich. Ich hatte Mühe, eine Erklärung zu finden, die den Lehrer nicht beleidigte und trotzdem Vaters Ironie verständlich machen konnte.

Mit sich selbst zufrieden reichte mir Vater das Heft und fragte, da ich sitzen blieb, was ich noch auf dem Herzen hätte.

»Ist der Herr Barmer schwul?« fragte ich.

Vater war überrascht. »Wie kommst du denn darauf?«

»Ich habe es auf dem Schulhof gehört.«

»Das ist ein sehr hässliches Wort. Herr Barmer ist krank, und da solltest du nicht so dumm über ihn sprechen.«

»Sind die Schwulen krank?«

»Was meinst du denn damit, Junge? Was verstehst du unter diesem Wort?«

»Ich weiß nicht. Ich habe es nur gehört. Er soll mit Frauenkleidern herumlaufen und mit Jungen rummachen.«

»Wer sagt denn sowas?«

»Ein Junge auf dem Schulhof.«

»Wer?«

Ich wollte Bernd nicht verraten, aber ich konnte meinen Vater nicht belügen, er merkte es immer, und so sagte ich nur: »Einer aus der Siedlung.«

Die Siedlung war erst vor wenigen Jahren gebaut worden, die Leute, die dort wohnten, waren aus anderen Städten zugezogen, und da kaum einer von ihnen in die Kirche ging, kannte Vater sie nicht und fragte nicht weiter.

»Hör zu, Daniel, die Leute, von denen du redest, das sind arme, kranke Menschen, die unser Mitleid verdienen. Und ich möchte nicht, dass eins meiner Kinder in dieser Weise über Kranke redet.«

Mir fiel auf, dass Vater nie »schwul« sagte, er vermied es, das Wort auszusprechen, und so fragte ich ihn: »Was ist Schwulsein für eine Krankheit? So schlimm wie Tbc?«

»Das kann man nicht vergleichen. Das ist ein Geburtsfehler.«

»Wie ein Krüppel.«

»Nun ja, aber eben innerlich. Mehr seelisch, verstehst du.«

»Ist das ansteckend? Soll ich Herrn Barmer die Hand nicht geben?«

»Nein, nein, ansteckend ist es nicht. Aber du musst ihm nicht die Hand geben. Du sollst zu ihm höflich sein, aber du musst ihm nicht die Hand geben. Das ist besser so.«

»Dann ist es doch etwas Schlimmes?«

»Jede Krankheit ist schlimm. Sei froh, dass du heil und gesund bist. Und rede nicht so hässliche Dinge. So, und nun verschwinde.«

Tante Magdalena habe ich auch gefragt, aber sie wusste gar nichts. Sie sagte, es gebe Leute, die besonders wetterfühlig seien und die man darum als schwul bezeichne, wie man ja in gleicher Weise auch vom Klima sage, es sei schwul oder schwül. Ich sagte ihr, dass dies nicht stimme, und erzählte ihr, die Schwulen würden in Frauenkleidern herumlaufen. Doch davon wusste sie auch nichts, und sie sprach statt dessen vom Karneval in Köln, von dem ihr ein Verwandter berichtet hatte und wo auch viele Männer in Frauenkleidern herumgerannt seien.

»Aber schwul, das ist kein Karneval, das ist eine Krankheit«, sagte ich.

»Von so einer verrückten Krankheit habe ich noch nie gehört.« Und dann lachte sie los und ich fragte sie nicht weiter.

Am nächsten Tag wurde der Doktor verhaftet.

Wir hatten gerade eine Freistunde und waren auf dem Hof, als er in der Schule erschienen war, um seine Kisten zu holen. Er trug den breitkrempigen Hut und den pelzgefütterten Mantel wie am Tag vorher und er hatte auch seine altmodische Aktentasche bei sich. Er ging ins Haus, und einige von uns machten Witze, sie sprachen darüber, wo er die Nacht verbracht habe. Nach einigen Minuten kam der Hausmeister auf den Hof und bat vier Jungen, bei den Kisten von Herrn Dr. Rudolph mitanzufassen. Er hatte auch Bernd angesprochen, aber der weigerte sich.

»Ich will mich nicht anstecken«, sagte er.

»Anstecken?« fragte der Hausmeister. »Was gibts bei einer Holzkiste zum Anstecken? Da sind nur zwei Gasflaschen mit Luft drin, fest verschlossen, völlig ungefährlich.«

»Ich will mich bei dem Kerl nicht anstecken.«

»Was ist denn mit dem? Ist er krank?«

»Das kann man so sagen. Mein Vater hat mir jedenfalls verboten, mit ihm in Berührung zu kommen.«

»Du musst ihn ja nicht anfassen. Aber schön, dann kommst du mit«, sagte der Hausmeister und zeigte auf einen anderen Jungen.

Als die vier ihm ins Schulgebäude folgten, konnte man ihnen deutlich ansehen, dass sie sich unbehaglich fühlten. Wir starrten auf die Tür der Schule, weil wir den Doktor mit seinen Flaschen nicht verpassen wollten, aber es rührte sich nichts. Nach zehn Minuten kam ein Polizist, er fragte uns nach dem Hausmeister, und wir zeigten ihm den Weg. Zwei von uns, Peter und der dicke Robert, wollten mit ihm gehen, aber an der Tür schickte der Polizist sie auf den Hof zurück. Wir alle fürchteten schon, die Freistunde und die Pause würden vergehen, bevor der Doktor mit seinen Kisten die Schule verließe. Da erschien der Direktor und hielt die Tür für den Polizisten und den Doktor auf, und hinter ihnen her kamen unsere Klassenkameraden und schleppten die Kisten. Die Gruppe lief über den Schulhof und an uns vorbei, unsere Mitschüler verzogen bedeutungsvoll das Gesicht und deuteten uns wortlos an, dass etwas passiert sei.

Sie kamen spät zurück, die nächste Stunde hatte bereits begonnen, und wir konnten uns nur flüsternd nach dem Ereignis erkundigen. Erst in der nächsten Pause erfuhren wir ausführlich, was passiert war. Der Doktor war eigentlich nicht richtig verhaftet worden. Es sei nur eine vorübergehende Festnahme zur Klärung eines Sachverhalts, habe der Polizist gesagt, als er im Schulgebäude erschienen war. Der Direktor war telefonisch unterrichtet worden und hatte den Doktor gebeten, mit ihm beim Hausmeister auf das Erscheinen der Polizei zu warten. Der Polizist wollte, dass die vier Schüler den Raum verließen, aber sie hatten erklärt, sie müssten die Holzkisten tragen, und waren einfach stehen geblieben. Dann erkundigte sich der Polizist, wieso der Herr Dr. Rudolph in die Schule gekommen sei, wer ihn eingeladen und wer ihn geschickt habe, und schrieb sich alles auf, was der Direktor und der Doktor sagten. Der Polizist bat, ihm den Briefwechsel und alle Unterlagen zu der Veranstaltung in der Aula auszuhändigen. Er sprach von polizeilichen Ermittlungen und davon, dass der Doktor keine Genehmigung habe, mit Minderjährigen und Schülern zu arbeiten oder sie zu unterrichten, da ihm dafür die notwendige persönliche Zuverlässigkeit und die charakterliche Eignung fehlen würden. Er sagte, der Doktor gelte als ein Wiederholungstäter und sei unbelehrbar. Doch der Mann habe gar nichts dazu gesagt und sich nur mit den Ringen beschäftigt, die er an den Fingern trug. Er habe nicht protestiert und selbst dann nichts gesagt, als der Polizist ihn dazu aufforderte. Er schien nicht einmal verlegen geworden zu sein. Als der Direktor ihn nach den Gründen für die polizeiliche Maßnahme fragte, habe der Polizist auf den Doktor gezeigt und gesagt, er solle ihn selbst fragen. Doch da der Mann nichts sagte, habe der Polizist einen Paragrafen genannt und dem Direktor etwas ins Ohr geflüstert. Schließlich hatte er den Direktor gebeten, ihn auf das Revier zu begleiten, und die Schüler hatten die Kisten zum Auto des Doktors tragen müssen, das gegenüber der Molkerei stand, weil man in der Straße vor der Schule nicht parken konnte. Der Doktor habe sich bei ihnen bedankt, als sie die Kisten ins Auto gestellt hatten. Die Hand aber habe er ihnen nicht gereicht, und sie hätten sie auch nicht genommen. Dann habe der Direktor sie zur Schule zurückgeschickt, aber da sie wussten, dass er bis zum Polizeirevier gehen musste, hatten sie sich für den kurzen Rückweg viel Zeit genommen.

Nach dem Unterricht sind wir alle zur Molkerei gelaufen, doch von dem Auto war nichts mehr zu sehen. Zwei Tage später hörte ich, der Vater von Bernd habe den Doktor angezeigt, aber Bernd behauptete, es sei nicht wahr. Wer wisse schon, was der Kerl alles auf dem Kerbholz habe.

In der Schule fragten wir Fräulein Kaczmarek, warum die Polizei den Mann abgeholt hatte. Wir wollten sie dazu bringen, uns etwas über Schwule zu erzählen, aber sie sprach nur von einer Krankheit und nannte ihn einen unglücklichen Menschen. Sie sagte, er sei gar nicht verhaftet worden, und es werde ihm nichts weiter passieren. Er dürfe nur nicht in Schulen unterrichten und das sei lediglich eine hygienische Maßnahme.

Ich hatte gehofft, man würde Bernd und mir den Tadel streichen, aber das lehnte Fräulein Kaczmarek ab. Und die fünfundzwanzig Pfennige bekamen wir auch nicht zurück. Die hatte der kleine Doktor eingesteckt.

Als Mutter mich weckte und sagte, dass wir gleich aussteigen müssten, hatte ich Mühe, mich zurechtzufinden. Ich wusste nicht, wo ich war und wieso ich aufstehen sollte. Ich saß auf der Holzbank eines Eisenbahnabteils. Draußen war es stockdunkel, nirgends war ein Licht zu sehen. Ich lehnte mich in die Ecke zurück und sah Mutter zu, wie sie die Arme meiner Schwester in die Jacke fädelte. Das Baby lag in der Reisetasche und schlief. Mutter reichte mir meine Strickjacke und nahm, während ich sie gähnend anzog, unsere Tasche und den Koffer aus dem Gepäcknetz, um sie vor die Abteiltür zu stellen. Die Lokomotive pfiff durchdringend, bevor sie ihre Fahrt verlangsamte. Als der Zug in der Station einlief und abbremste, prallten die Stoßdämpfer aufeinander und ein metallener Stoß lief knirschend durch die Eisenbahnwaggons.

Auf dem Bahnsteig brannte eine einzige Lampe, das Gebäude war nicht zu erkennen. Mutter rief mich, sie stand mit Dorle und dem Baby bereits im Abteilgang. Ich hängte mir rasch den Rucksack um, nahm den Koffer auf, den Mutter mir vor die Füße gestellt hatte, und lief ihnen hinterher.

Großvater erwartete uns. Er hob mich aus der offenen Tür, drückte mich an sein stoppeliges Gesicht und stellte mich auf den Boden. Dann sprach er mit Mutter, die das Baby aus der Tasche genommen hatte und im Arm hielt. Mir war kalt, und ich war müde. Ich legte meinen Kopf an Großvaters Arm und schloss die Augen.

Hinter dem Bretterverschlag, der das Bahnhofsgebäude absperrte, stand der Kutschwagen mit zwei Pferden. Rechts und links neben dem Kutschbock brannten Petroleumlampen, zwei würfelförmige Kandelaber mit geschliffenen Gläsern an den Seiten, die die Flammen vor Wind und Regen schützten. Großvater blieb vor der Kutsche stehen und sah uns erwartungsvoll an. Da Dorle und ich nichts sagten, fragte er, ob wir uns nicht freuten, mit den Pferden aufs Gut kutschiert zu werden. Doch ich war so müde, dass ich nur wortlos nickte. Mutter und Großvater setzten uns in den Wagen. Mutter gab mir das Baby auf den Schoß und verstaute mit Großvater das Gepäck in der Holztruhe, die hinten an der Kutsche mit Ledergurten angeschnallt war. Mutter stieg zu uns in den Kutschkasten und Großvater kletterte auf den Bock, ich konnte seinen Rücken durch das kleine vordere Fenster des Coupés sehen. Ich bemühte mich, richtig wach zu werden, denn ich wollte die Fahrt genießen und nichts verpassen, aber die Kutsche wackelte so gleichmäßig über die Landstraße, dass ich fest einschlief.

In den Sommerferien fuhren wir jedes Jahr zu den Großeltern. Großvater war nach dem Krieg Gutsverwalter geworden. Er hatte schon vor dem Krieg ein Landgut geleitet, sogar während der Kriegsjahre, da er von der Wehrmacht freigestellt worden war. Doch das in Schlesien sei damals ein richtiges Rittergut gewesen, hatte mir Mutter erzählt, viel größer und schöner als das in Holzwedel. Großvater habe als Verwalter alles allein bestimmen und entscheiden können, da der Baron ein alter Mann gewesen sei, der sich nicht um seine Landwirtschaft kümmerte, sondern das gute Geld, das Großvater für ihn erarbeitete, für Projekte mit einem Heißluftballon verpulverte. Er lebte in Breslau und erschien nie auf seinem Gut, weil er Großvater grenzenlos vertraute. Gegen Ende des Krieges waren die Großeltern mit der ganzen Familie auf dem Treck vor der anrückenden Front bis nach Sachsen-Anhalt gezogen, wo man dem erfahrenen Inspektor angeboten hatte, ein Staatsgut zu übernehmen.

Mutter und Großmutter erzählten uns viel über diese Zeit und den Flüchtlingszug mit Pferdefuhrwerken durch halb Deutschland. Die Familie war nach der langwierigen Flucht bei dem Bruder der Großmutter untergekommen. Sie wohnten dort in einer provisorisch ausgebauten Dachwohnung, durch rasch zusammengenagelte Bretterwände waren drei dürftige kleine Räume entstanden, und Großvater hatte sich an einen Cousin in Bayern gewandt, weil er hoffte, dort Arbeit und Wohnung zu finden. Als er das Angebot erhielt, das Staatsgut Holzwedel zu übernehmen, stand bereits der Tag der Übersiedlung in ein niederbayrisches Dorf fest, trotzdem entschloss er sich, das Gut zumindest in Augenschein zu nehmen. Nach der Rückkehr erkundigten sich Großmutter und sein Schwager, ob ihm das Gut zusage und er sich den Umzug nach Bayern überlegen wolle. Großvater erwiderte nichts, schüttelte nur zweifelnd seinen Schädel hin und her und strich sich über die Glatze.

»Und was nun, Wilhelm«, fragte Großmutter ihn im Bett, nachdem sie den ganzen Abend darauf gewartet hatte, dass er etwas sagte.

»Etwas Besseres wird uns wohl nirgends angeboten.«

»Also Holzwedel und nicht Bayern?«

»Ich denke, ich sollte das Gut nehmen, Klara. Der Boden ist gute Börde, die Stallungen machen einen vernünftigen Eindruck, das Haus kann man reparieren, und die Leute, na, die Leute, die bieg ich mir hin.«

Als Großmutter mir das erzählte, sah sie mich an und sagte: »So ist er, dein Großvater, so ist er immer gewesen. Ich habe nur zu ihm gesagt: ›Das dachte ich mir schon. Dann können wir ja endlich schlafen.‹«

Holzwedel bestand aus einem großen, mit einer Steinmauer umgebenen Gutshof. In der Mitte stand das stattliche Gutshaus, in dem der Verwalter wohnte und wo sich die Büroräume sowie die lange, gefliese Gutsküche befanden. Die Vorderfront des Hofes wurde von einer hohen Mauer begrenzt mit einem gewaltigen Tor, dessen Einfassung mit steinernen Kugeln verziert war, auf der Mauer waren grünliche Glasscherben einbetoniert. Die Stallungen für Pferde, Kühe und Schweine, das Schlachthaus, die Speicher und Scheunen, das Waschhaus mit den Duschen und das Lagerhaus mit dem Kühlraum bildeten mit der Mauer ein geschlossenes Viereck um das Gutshaus, unterbrochen nur durch das Haupttor und eine rückwärtige Pforte auf der gegenüberliegenden Seite, durch die man direkt in den Wald gelangte. Die Gärtnerei mit einem Glashaus und dem Bienenwagen befand sich außerhalb des Gehöfts. Auf beiden Seiten der Teerstraße, die zum Gut führte, standen die Häuser der Landarbeiter, niedrige, sich gleichende Lehmkaten mit winzigen Fenstern und einem Stück Gartenland, vier Häuser rechter Hand, fünf links. Hinter der letzten Kate war ein Straßenschild mit der Aufschrift »Staatsgut Holzwedel« zu sehen.

Dorle und ich wurden auch in diesem Jahr im Dachzimmer über der Vorratskammer untergebracht, einem Raum mit einer schrägen Wand, in dem nur zwei Betten und ein Nachtschränkchen standen. Hoch oben über der Tür befand sich ein schwarzer Kunststoffkasten, eine viereckige Box, in der es leise summte. Ich hatte mich im Jahr zuvor bei den Großeltern erkundigt, was das für ein merkwürdiger Kasten sei, und mir wurde erklärt, es sei der elektrische Schaltkasten für die Kühlgeräte. Ich wollte wissen, warum es in dem Kasten immerzu summte. Großmutter war über meine Frage erstaunt. Sie war mit mir ins Zimmer gegangen und hatte sich auf einen Stuhl gestellt, um das Summen zu hören.

»Du hast Recht«, sagte sie, als sie mit meiner Hilfe vom Stuhl herunterstieg, »der Kasten summt, das macht die Elektrik. Die Elektrik summt gern, sie summt im ganzen Haus. Aber das ist ungefährlich, man darf da nur nicht anfassen.«

Die Erklärung befriedigte mich nicht. Eines Morgens nämlich – ich lag noch im Bett, um mir eine Ausrede auszudenken, weil ich am Tag zuvor die Katze aus dem ersten Stock des Treppenhauses auf die Steinfliesen des Hausflurs hatte fallen lassen, erwischt und in mein Zimmer geschickt worden war, ich hatte feststellen wollen, ob Katzen wirklich jeden Sturz überlebten, ob sie, wie Großvater sagte, tatsächlich sieben Leben hätten, doch das konnte ich nicht gestehen, wenn ich einer weiteren Strafe entgehen wollte –, an jenem Morgen sah ich eine dicke Spinne aus dem schwarzen summenden Kasten kriechen. Ich sah, wie sie sich aus dem schmalen Spalt an der Vorderfront zwängte, zur Decke hinauflief, dort minutenlang bewegungslos verharrte, um danach auf dem gleichen Weg zum Kasten zurückzulaufen und in ihm zu verschwinden. Seit diesem Tag wusste ich, dass es kein Elektrokasten war, denn wenn ich ihn wegen der Elektrizität nicht anfassen durfte, wie sollte da eine fette Spinne eine Berührung mit ihm überleben. Der Kunststoffkasten war ein großes Spinnennest, ich war davon überzeugt, dass unendlich viele dieser widerlichen Tiere mit behaarten Beinen in dem Kasten herumkrabbelten, so wie im Stülpkorb der Imkerei Tausende von Bienen über die Waben kletterten und unablässig übereinander krochen. Das Summen wurde nicht von der Elektrizität verursacht, es kam von den Spinnen. Ich wusste natürlich, dass Spinnen eigentlich keine Geräusche machten, aber in einem großen Nest, wo sie ihre Eier ausbrüteten, wo ständig neue Spinnen ausschlüpften und versorgt wurden, war ein so leises Summen, gleichmäßig und eindringlich, durchaus möglich. Und dass ich nur einmal, nur ein einziges Mal eine dieser Spinnen gesehen hatte, konnte nur bedeuten, dass sie das Tageslicht scheuten und nachts unterwegs waren und durch mein Zimmer spazierten.

Ich hatte keine Angst vor dem Hengst, und ich ging gern in den abgetrennten Verschlag des Kuhstalls, wo der Bulle stand und schnaubend das Stroh mit seinen Hufen in die Luft wirbelte und an der Kette riss, die an seinem Nasenring befestigt war, sobald jemand in seine Nähe kam oder wenn eine der Milchkühe nebenan brünstig war und ihr langes, heiseres Brüllen ausstieß. Vor dem Bullen hatte man mich gewarnt, er hatte sich einmal den Ring aus der Nase gerissen und die Balken und Bretter des Verschlags zerstört. »Ein Bulle ist immer gefährlich«, hatte Johannes, der ältere Schweizer, gesagt, »halt dich fern von ihm.« Aber ich hatte keine Angst und war sehr stolz, als Großmutter mich einmal im Bullenverschlag entdeckte, mich aufgeregt wegzerrte und beim Mittagessen erzählte, dass sie fast einen Herzschlag bekommen hätte, weil ich allein zu diesem heimtückischen Biest gegangen war.

Und vor den übrigen Tieren hatte ich auch keine Angst. Großvater hatte mir gezeigt, wie man mit dem Ganter umgehen musste und wie man sich der Ziegen erwehren konnte. Die beiden Hofhunde, die tagsüber an der Kette lagen und nur nachts auf dem Hof frei umherlaufen durften, kläfften zwar wütend, wenn ein Huhn oder eine Taube in ihre Nähe kam, um nach Körnern zu suchen, aber ich konnte sie anfassen und streicheln. Sogar wenn sie ihr Futter bekamen und ich mich neben sie stellte, knurrten sie nur leise.

Vor den Bienen hatte ich Respekt, aber keine Angst. Man musste nur ruhig bleiben, man durfte nicht rennen oder mit dem Armen herumwedeln, dann blieben sie friedlich. Wenn sie sich einem auf den Arm setzten oder auf den Kopf, hatte man nur stehen zu bleiben und durfte sich nicht bewegen. Man durfte nicht einmal zucken, sonst stachen sie. Früher, als ich noch kleiner war, war ich schlimm von ihnen gestochen worden, einmal sogar in die Zunge, weil ich mit offenem Mund geschrien hatte. Ich musste zum Arzt gebracht werden, weil die Zunge anschwoll und Gefahr bestand, dass ich erstickte. Aber inzwischen wusste ich, wie man sie behandeln musste, und konnte mit dem Gärtner, der sie betreute, ins Bienenhaus gehen, geschützt von einem Bienenschleier und für den Notfall mit einer Bienenpfeife ausgerüstet.

Vor keinem Tier hatte ich Angst, nur vor den Spinnen ekelte ich mich entsetzlich. Ich erzählte Großmutter von meiner Entdeckung und ich fragte, ob ich nicht in einem anderen Zimmer schlafen könne, aber sie sagte sehr unwillig, dass sie kein anderes Zimmer für mich habe und dass ich mich unterstehen solle, diesen Unsinn noch meiner Schwester einzureden.

»Erzähl das nur deinem Großvater«, sagte sie drohend, und damit war das Thema für sie erledigt. Aber ich wusste auch ohne ihre Ermahnung, dass ich Großvater nichts von dem Spinnennest im schwarzen Kasten erzählen durfte. Er würde mir einen kräftigen Stups geben und wieder einmal sagen: »Der Junge liest zu viel, das ist nicht gut für den Kopf.« Und in den folgenden Tagen würde er beim gemeinsamen Mittagessen bestimmen, welche Arbeiten ich auf dem Hof zu erledigen hätte, damit ich an die frische Luft käme und kein Stubenhocker würde. »Du musst Muskeln kriegen, Junge.« Dann müsste ich aufstehen, zu ihm kommen und eine Faust machen, um ihm meine kümmerlichen Bizeps zu zeigen. Er würde seine Hand um meinen Oberarm legen und ihn drücken, bis ich aufschrie. »Das ist noch nichts.

Das ist zu wenig für dein Alter. Das müssen feste Muckis werden. Da musst du ein bisschen zufassen, Junge, und nicht im Zimmer hocken.« Nein, von den Spinnen konnte ich Großvater nichts erzählen. Ich musste mich damit abfinden, in einem Zimmer zu schlafen, in dem nachts lange Kolonnen von fetten Spinnen mit behaarten Beinen über Decke und Wände krochen und wahrscheinlich auch über das Bett und mein Gesicht.

Dorle, meiner kleinen Schwester, konnte ich schon deshalb nichts davon erzählen, weil sie den Mund nicht halten würde und ich wieder eine Kopfnuss von Großvater zu erwarten hätte. Außerdem würde sie abends nicht einschlafen, sondern alle paar Minuten das Licht anknipsen, um den Spinnenkasten zu kontrollieren. Und mich würde sie wecken und, weil sie Angst hätte, in mein Bett kriechen.

Mit Dorle war ich viel zusammen. David, der ältere Bruder, hatte für mich keine Zeit, er hatte seine Freunde, mit denen er zu Hause durch die Stadt zog, und konnte es überhaupt nicht leiden, wenn ich auftauchte und mich ihnen anschließen wollte. Auch wenn ich baden ging und ihn dort zufällig traf, gab er mir gleich zu verstehen, dass ich mich woanders hinlegen sollte und dass ich nicht mit ihm und seinen Freunden in den Wrackteilen im Fluss tauchen dürfe, weil das für mich zu gefährlich sei. Mit Michael und Markus aber konnte man nicht viel anfangen, sie waren noch zu klein und hingen wirklich an Mutters Schürzenzipfel. Außerdem hatte ich wenig Lust, mich mit ihnen abzugeben, weil doch immer ich die Schuld an allem bekam. Sie konnten tun, was sie wollten, sobald sie etwas anstellten, bekam ich eine Standpauke zu hören, weil ich nicht ausreichend auf sie aufgepasst hätte. David galt schon als erwachsen, ihm wurden zu Hause nur die wichtigen Aufgaben übertragen. Mutter rief nach ihm, wenn eine elektrische Leitung kaputt oder ein Gerät zu reparieren war, obwohl ich das auch gekonnt hätte. Er musste auch viel weniger in der Küche helfen als ich.

So blieb mir zu Hause nur Dorle. Sie war das einzige Mädchen in unserer Familie, und Vater liebte sie besonders, jedenfalls zog er sie vor. Sie wurde auch nie so hart bestraft wie ich. Ich glaube, Vater wünschte sich noch ein Mädchen. Als Mutter schwanger war, hörte ich, wie er einmal zu ihr sagte, er hoffe, dass es ein Mädchen werde, denn von der anderen Sorte habe er schon genug. Aber auch das letzte Baby wurde kein Mädchen, und schließlich waren es sechs Jungen und Dorle.

Für Dorle hatte ich aus Brettern ein Haus gebaut, in das man hineinkriechen konnte, und für ihre Puppen Kleider angefertigt. Einmal habe ich sogar ein richtiges Kleid für Dorle geschneidert nach einer Anleitung aus einem Buch, das ich mir aus der Bücherei geliehen hatte. Ich ließ mir von keinem helfen, nicht von Mutter und auch nicht von Tante Magdalena. Auf dieses Kleid war Dorle sehr stolz, und sie hat es allen Verwandten und ihren Freundinnen gezeigt und ihnen erzählt, dass ich es für sie genäht hatte.

Dorle war ein sehr schönes Mädchen mit schwarzen Haaren und großen schwarzen Augen, und sie hat immer alles geglaubt, was ich ihr sagte. Wenn mir die Eltern etwas nicht geben wollten, hat sie bei Vater oder Mutter so lange gebettelt, bis sie es für mich erhielt. Nur gelogen hat sie nie. Ich konnte sie nie bitten, den Eltern irgendetwas vorzuflunkern, damit ich einer Bestrafung entging. Da war David besser geeignet, der mir dann zwar selber den Kopf wusch, aber den Eltern gegenüber zu mir hielt. Dorle konnte das einfach nicht, sie konnte nicht lügen. Und sie war ängstlich, deshalb brauchte sie nicht zu erfahren, dass in unserem Zimmer in Holzwedel nachts die Spinnen über die Betten krabbelten.

Sobald ich Licht ausgemacht hatte, verkroch ich mich unter dem dicken Federbett. Keinen Zentimeter von mir sollten die Spinnen mit ihren ekelhaften Beinen berühren.

Am Morgen nach unserer Ankunft kam Großmutter in unser Zimmer, zog die Gardinen zur Seite und sagte, wir sollten endlich aufstehen, es sei bald Mittag. Ich sah auf meine Armbanduhr, es war gerade erst halb neun und ich hatte Ferien. Großmutter setzte sich auf Dorles Bett, küsste sie und pustete ihr ins Ohr. Dann kam sie zu mir, zog mir das Deckbett weg und gab mir einen Klaps auf den Hintern. Ich zog rasch mein Nachthemd herunter. Bevor ich aus dem Bett stieg, warf ich einen Blick auf den schwarzen Kunststoffkasten über der Tür.

In der Küche waren Mutter und zwei Mägde mit der Vorbereitung des Mittagessens beschäftigt. Unser Baby war wach und lag in einem großen Wäschekorb. Die beiden jungen Frauen scheuerten die eisernen Töpfe, in denen das Mittagessen aufs Feld gebracht wurde, und liefen immer wieder zu dem Wäschekorb, um mit dem Baby zu reden. Großmutter war in der Vorratskammer verschwunden. Die Kammer war stets verschlossen, nur Großmutter besaß einen Schlüssel dafür, der an ihrer Schürze baumelte.

Auf dem langen, blankgescheuerten Holztisch in der Mitte der Küche stand an einer Ecke unser Frühstück, zwei Gläser mit angewärmter Milch, geschnittenes Brot, Butter, grobkörniger Weißkäse und Rübensirup. Mutter nahm das Baby hoch, setzte sich zu uns und fragte, wie wir die erste Nacht auf dem Gut geschlafen hätten. Sie wollte am nächsten Tag zu Vater und den anderen Geschwistern zurückfahren.

»Ihr bleibt doch gern bei Oma und Opa, nicht wahr? In drei Wochen hole ich euch wieder ab. Ich hoffe, ihr vergesst mich bis dahin nicht.«

Wir kauten unsere dick beschmierten Brote und nickten nur. Dann setzte sich Großvater neben uns, eine der Mägde stellte ihm einen Teller hin und er zerschnitt mit dem Taschenmesser seine in Fett gebratene Brotscheibe mit dem Spiegelei darauf. Er spießte die Stücke mit der Messerspitze auf und schob sie sich in den Mund. Mir hatte Großmutter verboten, das Brot mit dem Messer zu essen. Es sei eine sehr dumme und gefährliche Angewohnheit, hatte sie gesagt und dabei kopfschüttelnd Großvater angesehen. Nach dem Essen stopfte Großvater seine Pfeife, legte sie neben den Teller, trank seinen Kaffee aus, zündete die Pfeife an und erhob sich. Großvater frühstückte jeden Tag zweimal, und wenn wir zu Besuch waren, aß er sein zweites Frühstück, das tägliche Bratbrot mit Ei, mit uns zusammen. Dann neckte er Dorle, kniff sie in die Wange, und da er harte, mit Hornhaut überzogene Finger hatte, tat das weh, so dass Dorle aufschrie. Mit mir sprach er über die Arbeit, die ich zu erledigen hatte. Ihm missfiel, dass ich mich lieber in mein Zimmer verzog, um Bücher zu lesen, und mich einen ganzen Tag draußen herumtreiben konnte, ohne etwas Vernünftiges zu tun. Er war grob zu uns, auch mit Großmutter ging er sehr schroff um, aber das war seine Art. Wenn er uns seine Zuneigung zeigen wollte und uns in den Arm nahm, war er derb, und wir versuchten deshalb, seinen Umarmungen zu entgehen. Nach den Sommerferien hatten wir blaue Flecken, wo er uns angefasst hatte. Großvater war eben sehr stark, er konnte, wie er sagte, nur »richtig zufassen«. Er war so ein kräftiger Kerl, wie ich einer werden sollte, aber wenn ich so arbeitete, wie er es von mir verlangte, taten mir der Rücken und die Arme weh, ich war völlig zerschlagen und meine Muskeln wuchsen trotz aller Plackerei überhaupt nicht. Doch er lachte mich aus, wenn ich mich beklagte, und sagte nur, ich dürfe nicht so viele Pausen machen und Bücher lesen.

Nach dem Frühstück ging Großvater auf den Hof. Ich stellte unsere Teller und Gläser in die gusseiserne Spüle und sagte, dass ich in den Pferdestall wolle.

Ich rannte hinaus. Vor dem Kuhstall standen die Schweizer und rauchten, sie lehnten an der Wand und unterhielten sich. Ich grüßte sie, aber sie reagierten nicht. Plötzlich hörte ich Großvaters laute Stimme. Die Schweizer traten rasch ihre Zigaretten aus und verschwanden im Kuhstall. Großvater kam vom hinteren Hof, wo der Misthaufen war und die Pforte zum Wald. Mit der rechten Hand hielt er einen sehr dünnen Mann am Kragen und stieß ihn, unablässig schimpfend, vor sich her. Sie gingen in Großvaters Büro, oder vielmehr führte Großvater den dünnen Mann mit einem Rucksack dorthin. Als sie im Haus verschwunden waren, lief ich ihnen hinterher. Ich öffnete die Tür zum Kontor, in dem die Sekretärin, Fräulein Bump, saß. Sie nickte mir zu und beugte sich dann wieder über ihre Schreibmaschine.

Der Raum war durch eine hölzerne Barriere geteilt. Hier wurden Lieferanten und Kunden empfangen, jedenfalls diejenigen, die nicht wichtig genug waren, um direkt in Großvaters Büro geführt zu werden, wo es eine Eckbank und Sessel für die Besucher gab. An der Barriere wurde auch der Lohn an die Landarbeiter ausgezahlt. Hier lagen die Tageszeitung und das Grüne Blatt aus und stapelten sich die Briefe und Postkarten, die nicht für die Großeltern oder das Büro bestimmt waren. Hinter der Barriere stand der Schreibtisch von Fräulein Bump, der Registerschrank mit den zwei hölzernen Rolläden, die beim Öffnen über und unter den Schrank geschoben wurden, daneben ein Aktenschrank und der Tresor, ein schwerer grüner Klotz aus Stahl.

Ich öffnete die Klappe der Barriere und ging zu der offen stehenden Tür, hinter der Großvaters Büro lag. Fräulein Bump zischte mir leise zu, dass ich nicht hineindürfe, dass Großvater beschäftigt sei, doch ich tat, als höre ich sie nicht, und lief rasch in das benachbarte Zimmer. Fräulein Bump kam mir hinterher, blieb aber an der Tür stehen, warf einen Blick auf Großvater und kehrte unentschlossen um. Ich stellte mich neben der Tür an die Wand. Der dünne Mann saß auf der Eckbank, blickte auf seine Hände, die seine Mütze zerknautschten, und schwieg. Auf Großvaters Fragen antwortete er nicht und sah ihn nicht an, er blickte unverwandt auf seine Hände nach unten. Doch auf Großvaters Fragen musste er auch nicht antworten, es waren keine Fragen, die man hätte beantworten können. Zwei Knechte hatten den Mann erwischt, als er eine Gans mit dem Taschenmesser getötet hatte und gerade in seinem Rucksack verstauen wollte. Sie hatten ihn gefasst und zu Großvater gebracht, und nun wollte Großvater von ihm wissen, warum er die Gans gestohlen hatte und warum er ein so schlechter Mensch sei und ob er nicht wisse, dass Stehlen eine schlimme Sünde sei.

Großvater fasste ihn am Jackett, mit einer Hand griff er gleichzeitig beide Jackenaufschläge, Großvater nannte das: am Schlafittchen nehmen, und drehte sie zusammen, so dass der Mann verloren darin hing. Dann zog er ihn zu sich heran und stieß ihn überraschend gegen die Rücklehne der Holzbank. Im Rucksack des Mannes, den er noch immer umgeschnallt hatte, knackte es laut. Großvater sah mich an, doch er sagte nichts und verzog auch nicht unzufrieden das Gesicht, wie er es sonst tat, wenn ihm etwas nicht passte. Er nahm den Mann wieder am Revers.

»Was hast du für einen Beruf?« fragte er.

»Lehrer«, sagte der Mann heiser, »ich bin Lehrer.«

»Was bist du?« rief Großvater. »Lehrer? Was will denn einer wie du den Kindern beibringen. Das Stehlen, du Hund, du verfluchter?«

»Wir sind Aussiedler, Spätaussiedler«, flüsterte der Mann eindringlich, »wir haben nichts mehr.«

»Ach was, Aussiedler bin ich selber. Da musst du halt von vorne anfangen. Aber mit Arbeit, nicht mit Stehlen.«

Mein Großvater nahm ihn wieder am Jackett, zog ihn zu sich und stieß ihn mit all seiner Kraft gegen die Lehne der Bank. Der Lehrer stöhnte leise auf.

»Hast du Arbeit?«

Der Mann nickte.

»Dann hau ab, und lass dich hier nie wieder blicken. Hast du verstanden?«

Der Mann schob sich ängstlich auf der Bank entlang.

»Lehrer willst du sein und weißt nicht einmal, wie man eine Gans schlachtet. Du hast sie massakriert, aber nicht geschlachtet, du Bandit. Du hättest sie ausbluten lassen müssen. Jetzt ist der Vogel aasig, den kannst du wegschmeißen. Hau ab. Na, für einen Lehrer ist er gut genug. Hau ab. Und noch eins, Lehrer, mach das nicht noch einmal: stehlen und sagen, dass du Aussiedler bist. Auch ein Aussiedler muss wie ein Mensch leben.«

Der dünne Mann schob sich mit dem Rücken an der Wand entlang und ging, unverwandt auf Großvater blickend, langsam zur Tür, um rasch hinauszuhasten. Großvater setzte sich an seinen Schreibtisch und blätterte in einem Bündel Papiere. Er hatte seine dicke gelbe Hornbrille aufgesetzt, mit der man ihn kaum erkannte, weil er sie selten trug. Den Daumen befeuchtete er fortwährend an seiner Unterlippe.

»Hast du gemerkt, was der alles im Rucksack hatte?« fragte er, ohne aufzublicken. »Das hat ganz schön geklirrt, nicht wahr. Der hat sicher ein paar Eier stibitzt. Na, nun wird er einen schönen Brei nach Hause bringen.«

Großvater lächelte zufrieden.

»Und so etwas will Lehrer sein. Habt ihr auch solche Lehrer?«

Ich schüttelte den Kopf. Ich glaubte nicht, dass Fräulein Kaczmarek oder Herr Greschke Gänse oder Eier stahlen. Ich versuchte mir vorzustellen, wie Großvater meinen Geschichtslehrer am Revers nimmt und auf die Bank schmeißt und wie Herr Greschke, den Rucksack mit den gestohlenen Eiern auf dem Rücken, vor ihm sitzt und demütig und verlegen zu ihm aufsieht, aber es gelang mir nicht. Nein, meine Lehrer stahlen nicht. Ich hatte zu viel Angst vor ihnen, um das glauben zu können.

»Und du?« fragte Großvater. »Was hast du jetzt vor?«

»Ich gehe in den Pferdestall.«

»Mach das. Aber geh nicht zu dem Hengst, das ist ein tückischer Belgier. Und mach dich nützlich, du bist alt genug.«

Großvater blätterte weiter in den Papieren, und ich ging hinaus. Jetzt war der Hof leer, am Kuhstall war niemand zu sehen. Die Hunde lagen in der Sonne und öffneten nur schläfrig die Augen, als ich an ihnen vorbeilief. Ein paar Hühner kratzten auf dem Misthaufen, sie mussten im Drahtgitter ein Loch gefunden haben. Im Pferdestall lud Alfred, der Knecht mit dem großen roten Muttermal am Hals, den Dung auf eine Holzkarre. Ich sagte ihm Guten Tag, aber er erwiderte nichts. Mit der Schaufel stocherte er im Pferdemist, dann stellte er die Schaufel ab, holte seine Pfeife aus der Schürzentasche und stopfte sie. Nachdem er sie angebrannt hatte, nahm er die Karre auf und schob sie an mir vorbei zum Hof hinaus. Als er an mir vorbeiging, sagte er, die Pfeife zwischen die Zähne geklemmt und ohne mich anzusehen: »Hat mir der Chef einen Aufpasser geschickt?«

Mir war unbehaglich, aber ich blieb dennoch im Pferdestall. Ich fragte Alfred, ob ich ihm helfen könne, aber er meinte nur, ich solle aufpassen, dass ich mich nicht schmutzig mache.

Am nächsten Tag, gleich nach dem Mittagessen, brachte Großmutter Mutter und das Baby mit dem Auto an die Bahn, und Dorle und ich durften mitfahren und winken, bis sich der Zug in Bewegung setzte. Großmutter tröstete Dorle, weil die das Gesicht verzog, als der Zug verschwunden war. »In drei Wochen holen euch Vati und Mutti mit dem Auto ab, und drei Wochen trägt die Katze mit dem Schwanz fort.«

Dorle weinte nicht. Sie wollte aber wissen, warum Großmutter so etwas sage und wie die Katze das mache.

Großvater hatte sich bereits am Morgen von Mutter verabschiedet. Er war mit dem Motorrad zum Landratsamt gefahren. Man hatte ihn hinbestellt, weil man, wie er sagte, ihm wohl wieder mal erklären wolle, wie man eine Kuh melkt. Er hatte es auf dem Hof gesagt, ganz laut, und noch ein paar Ausdrücke drangehängt, dass Großmutter ganz blass geworden war und nur Jessesmaria vor sich hin murmelte. Beim Frühstück hatte er die Arbeit verteilt und angekündigt, dass er erst am Nachmittag zurück sein und alles kontrollieren werde. Und dann hatte er sich die alte Lederkappe, eine Fliegermütze aus dem Weltkrieg, über seine Glatze gezogen, so dass er wie ein alter Uhu aussah, und war auf seiner Zündapp vom Hof gefahren.

Er kam spät zurück. Wir hatten bereits mit den Arbeitern in der Gutsküche Abendbrot gegessen, die Schweizer waren im Kuhstall verschwunden, und nur die Köchin und die beiden Küchenhilfen waren bei Großmutter in der Küche geblieben. Sie wuschen das Geschirr ab und bereiteten die Mahlzeiten für den nächsten Tag vor. Ich war noch einmal auf den Hof gegangen und saß mit Jochen, einem ein Jahr älteren Jungen, dem Sohn eines Gutsarbeiters, auf dem großen Querbalken des Hoftores. Im vergangenen Jahr hatte ich für Jochen gelogen. Er hatte einen Frosch mit einem Strohhalm aufgeblasen und das unförmige, bewegungslose Tier mit einem Stein plattgequetscht. Sein jüngerer Bruder hatte es ihrem Vater gepetzt, und als dieser Jochen zur Rede stellte und ihn ohrfeigen wollte, behauptete ich, dass wir mit einem toten Frosch gespielt hätten, mit einem Frosch, den eine der Katzen zuvor zu Tode getatzelt habe. Mein Einspruch verwirrte Jochens Vater. Er sah mich finster an, und ich wiederholte meine Behauptung. Ich spürte, dass er mir nicht glaubte, aber ich bemerkte auch, dass er nicht wusste, wie er sich verhalten sollte. Schließlich ließ er seinen Sohn los, ohne ihn zu schlagen, und drohte uns beiden fürchterliche Strafen an, falls er uns jemals dabei erwischen sollte, wie wir ein Tier quälten. Als er weggegangen war, fragte mich Jochen, ob ich schon einmal eine Pistole gesehen habe, kein Kinderspielzeug, sondern eine richtige, eine aus dem Krieg. Ich nickte und sagte, dass bei mir zu Hause einige Jungen richtige Pistolen besäßen und Armeedolche und Ledergürtel mit dem verbotenen Hakenkreuz auf dem Koppelschloß. Er fragte mich, ob er mir seine Pistole zeigen solle, und ich nickte. Ich musste schwören, keinem davon zu erzählen, vor allem nicht seinem Bruder. Dann holte er die angerostete Wehrmachtspistole, in einen öligen Putzlappen gewickelt, aus dem Haus und wir gingen damit in den Wald. Er zeigte mir, wie man sie auseinander nimmt und wieder zusammensetzt, und ich durfte sie auch halten. Seit diesem Tag waren wir befreundet.

Wir saßen auf dem Torbalken und stießen uns mit dem Fuß ab, so dass der gesamte Torflügel mit dem Balken sich langsam bewegte und wir im großen Bogen über der Einfahrt schwebten, als wir Großvaters Motorrad hörten. Rasch sprangen wir herunter, um den Torflügel weit zu öffnen. Großvater fuhr dirckt in die offen stehende

Garage. Ich rannte hinterher und half ihm, sie zu verschließen. In der Küche setzte sich Großvater an den langen Holztisch und aß schweigend sein Abendbrot. Großmutter fragte ihn, was der Landrat gewollt hätte, aber er knurrte nur und antwortete nicht. Als er gegessen hatte, räumte Großmutter das Geschirr weg und stellte ihm eine Flasche Leichtbier hin. Sie setzte sich ihm gegenüber und sah ihm zu, wie er seine Pfeife stopfte und anzündete.

»Was hast du? Warum guckst du so katholisch, Wilhelm?«

»Es ist wieder mal vorbei«, sagte Großvater, ohne seine Frau anzusehen.

»Was redest du? Kannst du dich etwas deutlicher ausdrücken?«

»Es ist vorbei, Klara. Wir werden unsere Sachen packen müssen.«

Großvater sah auf. Mit leicht zusammengekniffenen Augen schaute er zu seiner Frau. Er schien zu lächeln, aber genau konnte ich es nicht erkennen. Beide sahen sich an und sagten lange Zeit kein Wort. Ich saß neben Großvater und wartete darauf, dass er endlich weiterspräche, doch er deutete nur wortlos mit dem Kopf zu den beiden Küchenhilfen, und Großmutter sagte: »Nun macht Schluss. Für heute ist genug. Macht Feierabend, Mädchen.«

Die zwei nickten erfreut, verabschiedeten sich und liefen hinaus, und Großmutter sagte zu mir: »Und für dich ist es auch Zeit. Dorle liegt schon im Bett. Geh dich waschen. Und lass nicht die ganze Nacht in deinem Zimmer das Licht brennen. Du wirst dir die Augen verderben und musst dein ganzes Leben lang eine Brille tragen.«

»Es ist noch nicht mal neun. Und vor neun muss ich nicht ins Bett.«

»Geh schon, Junge, lass Großvater seinen Feierabend.«

Ich schob mich langsam auf der Bank entlang und stand auf. Am Ausguss nahm ich eins der dort abgestellten Gläser und ließ das Wasser lange ablaufen, bevor ich das Glas füllte und trank. Ich tat alles sehr gemächlich, um noch möglichst lange in der Küche bleiben zu können. Ich wollte wissen, was Großvater zu sagen hatte, es musste etwas Wichtiges sein, da er noch immer schwieg und nur ab und zu durch die Nase schnaufte und Großmutter ihre Arbeit unterbrochen hatte.

»Was ist denn nun passiert, Wilhelm?«

»Am 20. August kommt ein neuer Inspektor. Ich wurde abgesetzt. Seiffert sagt, wir können auf dem Gut bleiben. Ich soll mir aussuchen, was ich arbeiten will. Feld oder Stall, aber nicht mehr als Inspektor.«

»Jesses. Aber warum?«

»Die alte Geschichte, Klara. Erst hat mich Seiffert eine Stunde warten lassen. Als er endlich Zeit für mich hatte, hat er mir Honig ums Maul geschmiert. Wie sehr er meine Arbeit schätzt, dass im ganzen Kreis nur mein Gut Jahr für Jahr den Plan und die Abgaben erfüllt, dass er mich überall als Vorbild rausstreicht und so. Schließlich fragte er, wie es auf dem Gut steht, und ich habe gesagt, dass noch viel zu tun ist. Dass ich mit den rotweißen Milchkühen erst angefangen habe, dass wir eine zweite Schafherde aufbauen, dass die Stallungen noch nicht fertig sind, na, das weißt du alles selbst.«

Großvater sah zu mir, sagte aber nichts, so dass ich mich weiter mit dem Abtrocknen des Glases beschäftigte. Großmutter schüttelte unaufhörlich den Kopf und murmelte etwas, was ich nicht verstand. Dann sprach Großvater weiter. Er sagte, er hatte sich vom Landrat schon verabschiedet und bereits an der Tür gestanden, als Seiffert aufgestanden sei und ihn gefragt habe, wie lange er sich noch gegen die neue Zeit sträuben wolle. Er habe gleich gewusst, worauf der aus sei, aber er habe sich dumm gestellt. Seiffert habe ihn gefragt, was mit ihm und der Partei sei. Da habe er gesagt, er sei in Schlesien in keiner Partei gewesen und habe das Gut ordentlich geführt, und er könne auch jetzt ein Gut leiten, ohne in eine Partei einzutreten. Seiffert habe auf den Tisch geschlagen und ihn gefragt, ob er ein Feind der neuen Ordnung sei. Nein, habe Großvater gesagt, er sei kein Feind, er sei Landwirt, und er brauche Saatgut mit Qualität wie vor dem Krieg und ausreichend Viehfutter, wenn er das Soll schaffen wolle, und mit einem Parteiabzeichen kriege er kein Ferkel groß. Seiffert sei an die Tür gegangen, hinter der seine Sekretärin sitzt, habe sie aufgerissen und gebrüllt, dass sich dann ihre Wege trennen müssten, er werde das Staatsgut keinem erklärten Feind der neuen Ordnung ausliefern, keinem unbelehrbaren Helfershelfer der alten Großgrundbesitzer, die lange genug auf Kosten des Volkes gelebt hätten und nun ganz zu Recht und endlich und endgültig enteignet worden seien. Drohend habe er gefragt, ob er ihn verstanden habe, und daraufhin die Tür zum Vorzimmer zugeschlagen. Dann habe er Großvater ganz freundlich gebeten, sich wieder hinzusetzen. Er habe seinen Stuhl genommen, sich neben ihn gesetzt und ihn ohne seine Brüllerei gefragt, ob er nicht doch daran denken könne, in die Partei einzutreten. Er könne ihn sonst nicht als Inspektor eines Staatsgutes halten, nicht in Holzwedel und nicht sonstwo. Er habe sich lange genug vor ihn gestellt, ihn immer wieder verteidigt, aber nun müsse Großvater ihm mal einen Schritt entgegenkommen. Dabei habe er ihm die Hand auf die Schulter gelegt und ihn plötzlich Wilhelm genannt. Großvater habe entgegnet, er sei Christ und habe mit der Partei nichts zu schaffen, aber der Landrat habe gesagt, wenn er Christ sei, so sei das seine Privatangelegenheit und habe damit überhaupt nichts zu tun. Auch seine eigene Frau sei gläubig, aber wenn man das nicht an die große Glocke hänge, kümmere das niemanden. Er schlage ihm vor, gleich den Aufnahmeantrag für die Partei zu stellen, er selbst würde für ihn bürgen, und er könne sich sogar das Gut aussuchen, das er haben wolle, und wenn es Holzwedel bleibe, habe er nichts dagegen. Großvater hatte nur mit dem Kopf geschüttelt. Darauf sei der Landrat aufgestanden und habe gesagt, er müsse ihn als Inspektor absetzen, aber er könne mit der Frau in Holzwedel bleiben, er sei ein guter Bauer. Von einem staatlichen Leiter müsse er aber noch mehr verlangen. Ich kann nicht anders, Wilhelm, habe er schließlich gesagt, und damit habe er ihn entlassen. Die Sekretärin im Vorzimmer habe bereits die Papiere fertig gehabt, er musste sie nur noch unterschreiben. Der Name des neuen Inspektors für Holzwedel stand auf dem Papier, ein gewisser Karl Bergmann. Es sei ein verdienstvoller Genosse aus Magdeburg, habe ihm die Sekretärin mitgeteilt, ein Parteisekretär aus einer Maschinenfabrik. Großvater hatte unterschrieben, was ihm die Frau vorlegte. Jetzt ist eine neue Zeit, habe sie zu ihm gesagt, und er habe ihr geantwortet: Eine neue Zeit, gute Frau, beginnt mit jedem Tag, den Gott werden lässt. Daraufhin habe sie ihn mit offenem Maul angestarrt und gemeint, dass manche Leute nicht wissen, was gut für sie sei, und dass man die zu ihrem Glück zwingen müsse. Ja, habe er gesagt und sei noch einmal stehen geblieben, es gebe da richtige Künstler, die könnten sich ins eigene Gesicht spucken und hieltens noch für eine Erfrischung.

»Mach den Mund zu, Daniel«, sagte Großvater und lächelte mich an. Ich hatte die ganze Zeit wie erstarrt neben dem Ausguss gestanden, Handtuch und Glas in den Händen, und mich bemüht, kein Geräusch zu verursachen, um die Großeltern nicht auf mich aufmerksam zu machen.

»Bist du denn noch immer nicht im Bett?« sagte Großmutter. Sie blickte nicht auf, und ich hörte ihrer Stimme an, dass sie weinte.

»Und was soll werden?« fragte sie. Sie hatte mich wohl schon wieder vergessen.

»Na, was schon. Arbeiten können wir beide doch.«

»Ich will aber nicht hier wegziehen. Ich will nicht schon wieder lostrecken.«

»Es geht aber nicht nach dir. Und was kommen soll, kommt.«

»Warum musstest du dich mit dem Landrat anlegen. Mit deiner Sturheit bringst du uns noch mal ins Gefängnis. Ist es denn eine Sünde, umgänglich zu sein?«

»Was hab ich denn gesagt? Er hat mich gefragt und ich habe ganz höflich nein gesagt. Das war alles. ›Wenn du einen besseren Mann für Holzwedel hast‹, habe ich gesagt, ›gehen wir eben. Wenn du mich nicht brauchst, ich hab dich nicht nötig.‹« Er wandte sich zu mir: »Jetzt hast du alles mitbekommen, nun verschwinde endlich.«

Dorle schlief bereits, als ich in unser Zimmer kam. Ich machte die Lampe neben meinem Bett an und suchte das Bettzeug und die Wände nach Spinnen ab, bevor ich mich hinsetzte und auszog. Die Sachen legte ich über den Stuhl. Ich bemühte mich nicht, leise zu sein, ich wollte Dorle wecken.

»Mach das Licht aus.«

»Gleich. Soll ich dir etwas erzählen?«

»Morgen. Lass mich schlafen.«

»Du darfst es aber keinem weitersagen. Es ist noch geheim.«

»Lass mich schlafen.«

»Opa geht weg.«

»Geht weg? Wohin denn?«

»Er verschwindet von Holzwedel. Wir müssen alle weg. Opa, Oma, und wir beide auch.«

»Warum denn?«

»Die Partei sagt das, sagt Opa.«

»Die Partei? Was ist denn das?«

»Weißt du das nicht?«

»Nein.«

»Dann kann ich dir das auch nicht erklären.«

»Weil du es nicht weißt.«

»Ich weiß es.«

»Sag es doch.«

»Das sind die Bestimmer.«

»Die Bestimmer? Was bestimmen die denn?«

»Alles.«

»So wie die Russen und die Amerikaner?«

»Was haben denn die damit zu tun! Das ist etwas ganz anderes.«

»Nein, das sind die Bestimmer. Tante Magdalena hat mir gesagt, in Deutschland bestimmen jetzt die Russen und die Amerikaner.«

»Die bestimmen ganz andere Sachen. Das verstehst du nicht. Du hast ja noch nie einen Russen oder einen Amerikaner gesehen.«

»Du vielleicht?«

»Ich habe schon drei Russen gesehen.«

»Aber keine richtigen.«

»Die waren richtig, allerdings. Die waren sehr richtig, das kannst du mir glauben.«

»Und ich habe schon einen Amerikaner gegessen.«

»Ooh, bist du blöd. Was du gegessen hast, war doch kein richtiger Amerikaner.«

»Ich weiß. Und warum muss Opa weg?«

»Weils die Partei so sagt.«

»Ja, aber warum?«

»Warum! Wenn du Bestimmer bist, musst du das nicht erklären. Du bestimmst einfach und fertig.«

»Aber was passiert mit Opas Karnickeln und mit den Pferden? Nimmt er die mit, wenn er weggeht?«

»Die kann er nicht mitnehmen. Die gehören ihm doch nicht. Die bleiben natürlich hier.«

»Aber dann, dann sehen wir sie nicht mehr.«

»Natürlich nicht. Wenn Opa weggeht, dürfen wir auch nicht mehr hierher. Hör auf zu heulen.«

Aber Dorle heulte noch lauter und wollte das Licht anmachen, und ich verbot es ihr, weil ich den Kasten nicht mehr sehen wollte und mich bereits unter mein Deckbett verkrochen hatte.

Am nächsten Morgen hat sie gleich der Großmutter erzählt, was ich ihr gesagt hatte, und Großmutter hat sich zu ihr aufs Bett gesetzt und sie in den Arm genommen, und dann haben beide geheult.

Großvater teilte mir nach dem Frühstück keine Arbeiten zu. Er sagte an diesem Morgen überhaupt nichts. Ich hatte erwartet, dass er oder Großmutter mit mir schimpfen würden, weil ich Dorle alles erzählt hatte, aber sie sagten nichts. Sie saßen am Tisch und sahen uns beim Frühstück zu, vor Großvater stand sein Bratei, aber er rührte den Teller nicht an.

Jochen wohnte in einem lang gestreckten, einstöckigen Gebäude, das früher eine Schnitterkaserne gewesen war und in dem jetzt drei Familien lebten. Das Fenster von seinem Zimmer stand offen. Er saß am Tisch, über die Ohren hatte er die schwarzen Muscheln der Kopfhörer gestülpt, den Kopf hielt er über ein Gerät gebeugt. Ich drückte das Fenster ganz auf, konnte aber nicht erkennen, was er machte. Als ich ihn ansprach, drehte er sich zu mir, bückte sich aber gleich wieder über den Tisch.

»Soll ich reinkommen?« fragte ich.

»Aber nicht durchs Fenster. Du zerreißt die Antenne.«

Erst jetzt sah ich, dass ein Draht vom Tisch zum Fenster lief und an der Hauswand entlang bis zur Regenrinne. Ich ging ins Haus, durch den schmalen Flur hindurch in die Küche und in das angrenzende Zimmer, in dem Jochen mit seinem Bruder wohnte.

»Ist das ein Detektor?«

»Hast du davon Ahnung?« fragte er. »Das Scheißding funktioniert nicht.«

»Mein Bruder besitzt einen. Er hört damit alle Sender.«

»Mit diesem Ding kannst du gar nichts hören. Der Kondensator ist angerostet, vielleicht ist er kaputt.«

»Oder die Antenne ist nicht lang genug. Bei meinem Bruder geht sie bis zum Schornstein hoch.«

Da Jochen nichts erwiderte, erzählte ich ihm von Tante Magdalenas Spieluhr. Ich musste ihm genau beschreiben, wie sie funktioniert, und er fragte, was ich damit für Platten hören könne.

»Es sind alte Platten, Lieder von früher.«

»Willst du mir erzählen, du hörst dir damit alte Opern an?«

»Dafür gibt es keine neuen Platten. Das ist eine Antiquität, sagt meine Tante.«

»Das kannst du behalten. Den alten Plunder würde ich nicht mal geschenkt nehmen. So etwas liegt hier überall auf den Dachböden herum. Wenn mein Detektor wieder funktioniert, kannst du dir mal anhören, was ich alles empfangen kann.«

Jochen rieb mit einem Lappen die Bananenstecker ab, dann kratzte er mit dem Taschenmesser zwischen den Metallstücken des Drehkondensators. Er bedeutete mir, still zu sein, und lauschte, während er den Stab im Glasröhrchen des Detektors vorsichtig bewegte, andächtig den Geräuschen in seinem Kopfhörer. Ich saß auf seinem Bett und sah ihm zu. Auf einmal erblickte ich den schwarzen Kasten direkt über der Tür. Auch bei ihm gab es einen elektrischen Kasten, und ich fragte mich, ob auch bei ihm darin Spinnen brüteten und ob er es wusste. Jochen hatte überhaupt vor niemandem Angst und sicher auch nicht vor Spinnen, und ich wollte ihm nicht sagen, dass mir vor Spinnen ekelte. Ich sah mich in seinem Zimmer um. Unter dem Bett stand ein Koffer und daneben stapelten sich Pappkartons. Irgendwo dort drinnen war sicher die Pistole versteckt. Vor den Kartons und dem Koffer lagen dicke Staubflocken, seltsame luftige Gebilde, die sich sanft bewegten, als wären sie lebendig und würden atmen. Wenn ich mit den Beinen schlenkerte, bewegten sie sich und wanderten langsam über den Fußboden. Bei uns daheim gab es solche dicken Staubbündel nicht, auch nicht bei den Großeltern.

Endlich nahm Jochen den Kopfhörer ab, zog die Antenne von draußen herein, wickelte sie um ein Holzbrett und verstaute alles in einem Schubfach.

»Wollen wir zur Pferdekoppel gehen?« fragte ich. Ich wusste, dass Jochen ein eigenes Pferdehalfter besaß. Manchmal ging er damit zur Koppel, legte es einem der Pferde an und versuchte, auf ihm zu reiten. Das war streng verboten, weil die Pferde noch zu jung waren, um geritten zu werden, aber Jochen kümmerte sich nicht darum.

»Nein. Ich habe keine Zeit.«

»Was machst du denn?«

»Ich geh schwimmen.«

»Na gut. Dann gehen wir schwimmen.«

»Ich sagte, ich geh schwimmen. Wer hat gesagt, dass du mitkommen sollst?«

»Und warum soll ich nicht mitkommen?«

»Das geht nicht. Ich bin verabredet.«

»Gehst du zum Baggersee?«

»Wozu willst du das wissen? Das kann dir doch egal sein.«

»Zum Baggersee könnte ich mitkommen.«

»Ich geh nicht zum Baggersee. Der ist doch nur was für kleine Kinder.«

»Gehst du zum Russensee?«

»Du kannst einen ausfragen.«

»Und warum soll ich nicht mitkommen?«

»Weil ich nicht allein geh. Ich bin mit einem Mädchen verabredet, verstehst du. Da brauch ich keine kleinen Jungs dabei.«

»Ich stör euch doch nicht.«

»Und wie du störst. Hau jetzt ab.«

»Holzwedel bekommt einen neuen Inspektor.«

»Was? Ein neuer Inspektor? Geht dein Opa weg?«

»Das ist noch geheim.«

»Na, sag schon.«

»Ja, er geht weg.«

»Dann ist für dich hier Schluss. Dann könnt ihr euch

hier nicht mehr durchfressen. Und wer kommt hier-her?«

»Einer von der Partei.«

»Na, mir egal. Dein Opa ist hier nicht sehr beliebt, das kann ich dir sagen.«

»Das stimmt nicht.«

»Doch das stimmt. Das sagen alle. Er gehört gar nicht hierher. Er ist ein Umsiedler. Und außerdem ist er viel zu streng.«

»Naja, streng ist er.«

»Und wie heißt der, der hierher kommt?«

»Weiß ich nicht. Irgendeiner von der Partei.«

»Ich bleib nicht hier. Im September beginnt meine Lehre als Automechaniker, da bin ich weg von hier.«

»Kann ich mitkommen? Zum Russensee?«

»Aber du musst das Maul halten.«

»Das ist klar. Ich hole nur rasch meine Badehose und mein Fahrrad.«

»Vergiss deine Badehose. Und ein Fahrrad kannst du von mir bekommen. Ich geb dir das von meiner Mut-ter.«

»Ich fahr lieber mit meinem Rad.«

»Und was sagst du, wenn sie dich fragen, wo du hin-willst? Nimm das Rad von meiner Mutter oder bleib hier.«

»Gibst du mir eine Badehose?«

»Wir gehen so rein. Wird dir schon keiner was abgu-cken. Und am Russensee ist sowieso kein Mensch. Seits den Russen dort zerrissen hat, geht da kein Mensch mehr ins Wasser. Die fürchten sich vor Blindgängern.«

»Die sind gefährlich, nicht?«

»Dann bleib besser hier, Kleiner. Ich habe dich nicht eingeladen.«

»Nein, ich hab keine Angst.«

Jochen verschloss das Fenster. Er sagte, ich solle am

Schuppen hinterm Haus auf ihn warten, er müsse noch einmal aufs Klo. Als er endlich kam, bemerkte ich einen süßlichen Geruch, er musste sich mit Rasierwasser oder einem Parfüm das Gesicht bespritzt haben, aber ich sagte nichts. Er gab mir ein altes Damenrad, dann fuhren wir los. Ich fragte ihn, mit welchem Mädchen er verabredet sei, aber er antwortete nicht, sondern schoss auf seinem Rad davon, dass ich Mühe hatte, ihm zu folgen.

An der Chaussee, dort, wo die mit Katzenköpfen gepflasterte Zufahrt nach Holzwedel auf die Teerstraße stößt, saß Pille im Straßengraben. Ihr Rad lag im Gras. Als sie uns kommen sah, stand sie auf. Jochen sagte Guten Tag, aber Pille antwortete ihm nicht. Sie sah mich mit zusammengekniffenen Augen an und fragte ihn böse: »Warum hast du den mitgebracht?«

»Ich hab mir gedacht, der kann aufpassen.«

»So? Hast du gedacht? Na, ne prima Idee, muss ich schon sagen.«

Pille hieß eigentlich Hilde Buschke, sie wohnte auch in Holzwedel, in einem der Landarbeiterhäuser. Sie ging in die Kreisstadt zur Schule, ich hatte sie schon oft gesehen, aber noch nie mit ihr gesprochen.

»Los, fahren wir«, sagte Jochen, aber Pille rührte sich nicht und sah mich maulend an.

»Ich kann sehr gut schwimmen«, sagte ich rasch.

Pille lachte kurz auf. »Wen interessiert das, Kleiner.«

Jochen ging zu Pille und sprach leise mit ihr. Es hörte sich an, als würden sie sich streiten. Schließlich fuhren wir los, die beiden radelten nebeneinander, ich ein paar Meter hinter ihnen her.

Um zum Russensee zu kommen, mussten wir einen gesperrten Waldweg entlangfahren. Zwei gefällte Bäume lagen gekreuzt über Baumstümpfen. Verbotsschilder mit einem Totenkopf wiesen in deutscher und russischer Sprache auf vermutete Minen und nicht geborgenes

Kriegsgerät hin. Wir hoben die Räder über die Absperrung, Pille gab ihr Rad Jochen und ließ sich beim Klettern von ihm helfen. Hinter der Absperrung war der Weg dicht bewachsen, in den Fahrrinnen wuchs Gras, das Radfahren wurde mühselig, und wir mussten häufig vom Rad steigen und zu Fuß weitergehen.

Ich fürchtete mich. Ich fürchtete die Minen, vor denen mich Großvater eindringlich gewarnt hatte, und ich fürchtete, dass plötzlich Russen im Wald auftauchen könnten. Immer wieder suchte ich rechts und links den Wald ab und lauschte nach verdächtigen Geräuschen. Jochen hatte zu Pille gesagt, dass ich aufpassen würde, und ich wollte Jochen rechtzeitig warnen können. Ich wollte Jochen auf keinen Fall enttäuschen. Falls ein Soldat erscheinen sollte, wollte ich ihn als erster sehen. Ich radelte den beiden hinterher, bemüht, dem hochgewachsenen Unkraut auszuweichen und den dicken Kienäpfeln, die den Weg übersäten, und gleichzeitig den Wald im Auge zu behalten. Und ich musste unaufhörlich daran denken, dass ich keine Badehose bei mir hatte. Es war möglich, dass Jochen mich belogen hatte. Vielleicht hatte er Pille das erzählt, als er vorhin leise mit ihr gesprochen hatte. Wenn er und Pille ihren Badeanzug bereits angezogen hatten, würde ich dumm dastehen und die beiden hätten was zum Lachen. Ich überlegte, ob ich mit der Unterhose ins Wasser gehen sollte, doch lachen würden die beiden auch dann. Sie würden mich in jedem Fall auslachen. Sie hätten mich reingelegt und würden sicher allen erzählen, wie ich nackt oder mit einer ausgeleierten Unterhose vor ihnen umhergesprungen sei.

Ich fuhr zum ersten Mal zum Russensee. Ich hatte schon viel von ihm gehört, aber Großvater hatte uns streng verboten, dorthin zu fahren, weil dort vor vier Jahren ein Soldat der russischen Besatzungsmacht vor den Augen der badenden Kinder und seiner Kameraden von einer Mine zerrissen worden war. Er soll im flachen Wasser, zehn Meter vor dem Strand, auf eine Mine getreten und ohne Beine durch die Luft geflogen sein. Das jedenfalls hatte man uns erzählt. Der See und der Wald wurden nach Minen abgesucht. Man hatte zwar nichts gefunden, aber das ganze Gelände war vom Landrat und den Russen für die Öffentlichkeit gesperrt worden.

Auf dem breiten Sandstreifen, dem früheren Strand, wuchs meterhoch das Unkraut. Wir mussten absteigen und die Räder schieben. Jochen ging voran, da er eine Stelle kannte, wo man sich hinlegen und gut ins Wasser gehen konnte, ohne auf Schilf zu treten. Mein Rad legte ich dorthin, wo auch Jochen und Pille ihre Räder abgestellt hatten.

Als ich ans Wasser kam, war Jochen schon ausgezogen. Er war ganz nackt, und ich war sehr erleichtert. Ich zog mich aus und legte mich neben ihn auf den Bauch. Pille stand nur da und musterte mich verärgert, und Jochen fragte, was denn mit ihr los sei, ob sie sich nicht ausziehen wolle.

»Ich weiß nicht«, sagte sie, »ich habe keine Lust.«

»Keine Lust zum Schwimmen?«

»Das mit dem, das war nicht verabredet«, sagte sie und zeigte auf mich.

»Der stört uns doch nicht. Im Gegenteil, der kann aufpassen.«

Pille zog einen Flunsch und stand unentschlossen vor uns.

»Was guckst du denn so? Guck weg«, sagte sie zu mir.

Ich sah Jochen an, der nur grinste und mit dem Finger schnippste. Ich setzte mich auf und blickte aufs Wasser. Ich hörte, wie Pille sich auszog und sich neben Jochen ins Gras legte. Ich wagte nicht, den Kopf zu drehen, aber ich konnte ihre Beine und ihren Hintern sehen. Die beiden unterhielten sich über die Schule. Pille war in die zehnte Klasse gekommen, sie machte die mittlere Reife, weil sie Krankenschwester werden wollte. Jochen sagte, dass er froh sei, die Schule hinter sich zu haben, er sei einmal hängen geblieben und habe die Nase voll. Pille meinte, dass sie auch lieber heute als morgen abgehen würde, aber für ihren Beruf brauche sie den Abschluss der zehnten Klasse und so müsse sie halt noch ein Jahr zur Thälmann-Schule fahren und pauken. Dann sprach Jochen darüber, wieviel Geld er als Autoschlosser verdienen könnte und dass er Holzwedel für immer verlassen werde, weil er keine dreckigen Traktoren und kaputten Pflüge reparieren wolle, sondern richtige Autos. Sie redeten noch über die Nachbarn und meinen Großvater, und Jochen erzählte ihr, dass Großvater von einem neuen Inspektor abgelöst werden würde. Ich stieß ihn an, weil er mir versprochen hatte, es niemandem zu erzählen, aber Jochen reagierte gar nicht darauf. An Pilles Verhalten merkte ich, dass auch sie meinen Großvater nicht leiden konnte.

Ich legte mich wieder hin. Direkt vor meinem Kopf lag Pilles Büstenhalter, zwei rosafarbene Schalen mit Trägern und Haken und Ösen. Pille und Jochen schwiegen jetzt. Sie kitzelten sich mit Grashalmen, aber sie lachten nicht, sie waren ganz ernst dabei. Ich langweilte mich und fragte, ob wir nicht ins Wasser gehen wollten.

»Geh doch«, sagte Jochen.

Und Pille fügte hinzu: »Ja, geh schon. Hau endlich ab.«

Ich bewegte mich nicht. Ich wollte nicht allein in das Wasser, ich fürchtete mich vor den Minen, aber das wollte ich den beiden nicht sagen. Sie kitzelten sich weiter mit Grashalmen und kümmerten sich nicht um mich. Als ich den Kopf etwas wendete, sah ich, dass Jochen seine Hand unter Pilles Brust geschoben hatte. Beide lagen still da, aber man konnte sie laut atmen hören. Dann schrie Pille plötzlich auf. Sie setzte sich hin und schlug auf

Jochen mit beiden Händen ein. Sie jammerte und sagte, dass er sie gekniffen habe und dass er blöd sei. Dabei massierte sie mit beiden Händen ihre Brust. Jochen und ich hatten uns ebenfalls aufgesetzt und sahen zu, wie sie mit schmerzverzerrtem Gesicht ihre rechte Brust streichelte. Mein Mund war auf einmal ausgetrocknet. Wir starrten auf Pilles Brustwarzen. Sie waren groß und dunkelrot. Auf den Fotos, die ich gesehen hatte – eine nackte Frauenbrust kannte ich nur von den Fotos in den Zeitschriften, die auf dem Schulhof für Geld verliehen wurden und von denen ich mit meinem Freund Sebastian Abzüge herstellte –, auf den Fotos waren die Brustwarzen winzig und nicht so auffällig und vorstehend. Pilles Brüste waren schöner als die auf den Fotos, sie waren weich und samtig und viel aufregender. Ich war verwundert, dass Pille, dieses dünne Mädchen mit den aufgeschlagenen Knien und den klobigen Schuhen, das beständig beleidigt war und schmollte und so freche Antworten gab, dass Großmutter mir verboten hatte, mit ihr zu sprechen, dass diese Pille aus der Landarbeiterkate so schöne Brüste hatte. Und Jochen, mein Freund Jochen, hatte ihr so derb in die Brust gekniffen, dass Pille vor Schmerz geschrien hatte. Das war mir völlig unverständlich. Warum tat er das nur? Pille sah uns an, sie war noch immer wütend. Doch plötzlich lachte sie auf und wies mit ausgestrecktem Finger auf Jochen. »Mann, geh ins Wasser. Du hast ja einen Steifen.«

Tatsächlich ragte zwischen seinen angezogenen Beinen sein Schwanz hervor, rot, aufgebläht, bedrohlich groß. Doch Jochen lehnte sich stolz zurück und streckte die Beine aus. Er griff nach Pilles Arm. Dann stand er auf, zog sie hoch, und beide rannten laut lachend ins Wasser. Ich lief ihnen hinterher. Jochen und Pille spritzten sich nass. Sie tauchten, um sich unter Wasser die Beine wegzuziehen, und schließlich schwammen sie hinaus. Um mich kümmerten sie sich nicht. Als mir langweilig wurde, ging ich an den Strand und legte mich ins Gras, um mich aufzuwärmen. Dabei musste ich wohl eingeschlafen sein, denn ich schreckte hoch, als mich Wassertropfen besprühten. Jochen und Pille standen neben mir und schüttelten sich das Wasser aus den Haaren. Direkt vor meinem Kopf waren Pilles Beine. Ich bewegte mich vorsichtig und sah an ihr hoch. Ich sah ihre Schenkel, die rötlichen Schamhaare, den Bauch und die roten Spitzen ihrer Brüste. An den Schamhaaren liefen Wassertropfen langsam entlang. Wenn ein Tropfen herabfiel, richtete sich das Haar auf, um gleich danach vom nächsten Wassertropfen wieder an die Haut gedrückt zu werden. Ich blickte, ohne zu atmen, auf ihre Schamhaare und bemühte mich, den Kopf nicht zu bewegen. Ich tat, als würde ich in den Wald starren, und ließ keinen Blick von dem Dreieck über ihren Schenkeln. Es war so schön, dass mir ganz schlecht wurde. Pille stieg über mich hinweg und die beiden trockneten sich gegenseitig ab. Ich wagte nicht, mich umzudrehen, ich starrte nun tatsächlich in den Wald, aber alles, was ich sah, war Pilles kleiner rötlicher Pelz, an dem die Wasertropfen herabliefen. Hinter mir balgten sich Pille und Jochen, aber ich verstand nicht, was sie sagten. Ich sah nur Pilles nackten Bauch vor mir und ihre Brustwarzen und das Schamhaar, so schön und zart, dass mir alles weh tat. Ich muss wohl gestöhnt haben, denn Jochen fragte mich, was mit mir los sei.

»Es ist nichts«, sagte ich, legte den Kopf ins Gras und schloss meine Augen, um weiter von Pilles Brust und Bauch zu träumen.

Die beiden streckten sich neben mir aus. Ich wollte irgendetwas sagen, aber mir fiel nichts Besseres ein, als Jochen zu fragen, ob er draußen auf dem See etwas von den Minen gesehen habe. Meine Stimme klang merkwürdig gepresst und ich musste mich räuspern, um den Satz zu

Ende sprechen zu können. Jochen sagte nur, ich solle ihn in Ruhe lassen. Sie begannen wieder, sich mit Grashalmen zu kitzeln. Jochen drehte sich zu mir und sagte, ich könne jetzt gehen und auf die Fahrräder aufpassen.

»Da ist alles in Ordnung«, sagte ich, »ich habe vorhin nachgesehen.«

»Geh schon«, sagte er, »und pass auf sie auf. Und warte dort so lange, bis ich dich rufe. Hast du verstanden?«

Ich protestierte und wollte nicht aufstehen, aber Jochen sagte, ich solle das Maul halten und endlich verschwinden, sonst würde er mir Beine machen.

»Und bleib dort, bis ich dich rufe.«

Ich stand auf und griff nach meinen Sachen, um mir die Hose überzuziehen. Plötzlich sagte Pille: »Da ist aber noch nicht viel dran, Kleiner.«

Sie starrte mich grinsend an und ich hielt rasch das Hemd vor meinen Schwanz. Jochen lachte ganz gemein auf und sagte: »Bei dem Frischling wirds noch ein Jahr brauchen, eh da was sprießt.«

Ich rannte los und zog mir im Laufen das Hemd an. Ich glühte, als ich unsere Fahrräder erreichte, obwohl ich nur wenige Schritte gerannt war. Ich setzte mich ins Gras und knurrte laut vor mich hin. Ich beschimpfte Pille und Jochen und sagte mir, dass die beiden zwei nackte Schweine seien, dumme Bauern, von denen man nichts erwarten könne, schon gar keinen Anstand.

Es war heiß. Über dem harten Gras stand die Luft still und flirrte. Als ich die Augen schloss, hörte ich die Insekten. Winzige Fliegen krabbelten auf meinen Oberarmen, die Spitzen der Gräser kitzelten meine nackte Haut. Ich sah Pille vor mir, ihre schönen Brüste mit den großen dunkelroten Brustwarzen, ihr Schamhaar, ihren kleinen Bauch. In der Leistengegend verspürte ich ein schmerzhaft schönes Ziehen und ich musste mich hinlegen. Durch das Hemd fühlte ich eine Baumwurzel und einen Kienapfel, die sich in meinen Rücken bohrten, aber ich war nicht fähig, mich zu bewegen. Ich merkte, dass mein Schwanz sich bewegte. Er war heiß und brannte, und als ich ihn anfasste, war er ganz steif und tat weh. Ich erschrak und wollte nachsehen, was da mit mir passiert war, aber ich war zu erschöpft, um den Kopf zu heben. Dann vernahm ich ein Röcheln, das aus meinem Mund zu kommen schien. Und auf einmal spürte ich etwas, irgendetwas passierte mit mir. Die schmerzhafte Verhärtung löste sich, eine Bewegung lief durch meinen Körper, die ich nicht verursacht hatte und die ich nicht kontrollieren konnte, eine Bewegung, die mich hilflos machte und der ein plötzlicher Schweißausbruch folgte. Ich glaubte, dass ich Fieber bekommen hätte, hohes Fieber. Aber ebenso plötzlich schien sich alles aufzulösen, meine Knochen wurden weich, und ich war zugleich müde und erregt. Durch den Körper strömte etwas, schmerzhaft und sehr angenehm, es durchlief meinen Kopf, meine Arme und Beine, ich spürte diese Bewegung in meiner Brust und in meinem Bauch. Und unvermittelt floss es aus mir heraus. Mein Schwanz spritzte die Welle, die durch meinen Körper lief, endlich hinaus, spritzte sie über mich hinweg, und es war alles schön und so durchdringend, dass ich heftig und mit offenem Mund atmete. Dann war alles vorbei, so rasch, wie es gekommen war, und ich war nur noch müde. Ich zog die Knie an und rollte mich zur Seite. Ich lag wie ein Säugling im Gras, die Augen hielt ich weiter geschlossen und war endlich erleichtert. Das ist es also, dachte ich, das ist es. Mir war angenehm müde, und ich hätte sofort einschlafen können, aber ich dachte an Pille und Jochen, an die Minen, an die Russen, die plötzlich auftauchen konnten, und an mein Versprechen aufzupassen. Ich zwang mich, die Augen zu öffnen. Langsam und schwerfällig stand ich auf. Ich betrachtete mein Geschlecht. Es war noch immer etwas vergrößert und noch ein wenig steif, aber es war nicht mehr schmerzhaft geschwollen und lang. An meinem Hemd war ein klebriger nasser Fleck, der mir unangenehm war. Ich riss Gras aus und probierte, ihn wegzuwischen. Dann versuchte ich herauszufinden, was aus mir herausgespritzt und wo es geblieben war. Im Gras konnte ich nichts entdecken, was mich wunderte, denn ich hatte das Gefühl, unendlich viel dieser merkwürdigen Flüssigkeit verspritzt zu haben. Schließlich sah ich an Jochens Gepäckträger eine weißliche, sämige Flüssigkeit kleben. Das musste es sein. Vorsichtig berührte ich es. Es fasste sich merkwürdig an, und sorgfältig säuberte ich den Finger mit Erde und Gras. Auch auf Pilles Fahrradsattel waren Spritzer des dickflüssigen Schleims. Ich riss ein Grasbüschel aus, um den Gepäckträger und den Sattel zu säubern, aber ich warf das Gras ungenutzt weg. Die zwei hatten mich geärgert, sie hatten mich wie einen dummen Jungen behandelt, und ich wollte sie bestrafen. Sie sollten das klebrige Zeug behalten. Das war noch besser, als wenn ich auf ihre Fahrräder gespuckt hätte. Ich setzte mich auf die Erde. Mir wurde langweilig. Die Sonne stand hoch, es musste bald Mittag sein, und ich hatte pünktlich um zwölf daheim am Tisch zu sitzen. Außerdem wollte ich noch einmal ins Wasser, bevor wir zurückfuhren.

Ich stand auf und ging zur Badestelle. Die Zweige der dicht stehenden Fichten waren mit Spinnennetzen überzogen, und ich hatte Mühe, ihnen auszuweichen. Es war still, kein Vogel war zu hören, und die Bäume rauschten nicht, ihre Zweige verharrten bewegungslos in der Mittagshitze. Nur das Summen der Insekten war zu vernehmen. Falls ein Russe auftauchen sollte, würde ich ihn rechtzeitig bemerken. Plötzlich sah ich die beiden. Sie lagen wenige Meter vor mir, weit weg von unserer Badestelle am Russensee, und sie waren immer noch nackt.

Jochen lag auf Pille drauf und bewegte sich heftig und ruckartig. Pilles Gesicht war mir zugewandt, aber sie hielt die Augen geschlossen. Ihr Mund stand weit offen, ich hörte sie keuchen. Ich erschrak. Ich starrte auf die beiden, auf Jochens Hintern, auf seinen Rücken, auf Pilles gerötetes Gesicht. Mein Gott, dachte ich nur, mein Gott. Ich war unfähig, mich zu rühren. Ich schaute fassungslos auf die beiden Körper. Dann öffnete Pille ihre Augen und sah mich. Sie schlug Jochen auf den Rücken. Jochen hielt unvermittelt still und stemmte sich mit beiden Armen hoch. Pille wies auf mich und Jochen drehte den Kopf zu mir. Sein Gesicht verzerrte sich wütend und er fauchte: »Hau ab.«

Da ich wie gebannt dastand, wiederholte er: »Hau ab. Verschwinde.«

Ich rannte los. Ich rannte zurück. Nach wenigen Metern blieb ich stehen und rannte auf einem Umweg zum See, zu unserer Badestelle. Ich zog meine Hose an und die Schuhe, setzte mich auf einen Baumstamm unmittelbar am Wasser und blickte auf den See hinaus. Sie waren sicher wütend auf mich, weil ich nicht bei den Fahrrädern geblieben war, dachte ich. Und ich dachte daran, was ich eben gesehen hatte. Er hat ihn bei ihr reingesteckt, sagte ich mir, und sie hat das zugelassen. Ich spürte, wie mein Geschlecht erneut steif wurde, und ich schob die Hand zwischen meine Beine, um es niederzudrücken, aber der Schwanz wurde fester und begann wieder zu schmerzen. Ich sah angestrengt auf den See, aber ich sah nichts von dem Wasser und dem Schilfufer. Ich war vollkommen mit dem beschäftigt, was ich eben gesehen hatte. Wieso hat sie das zugelassen, dachte ich, und wie hat er erreicht, dass er ihn bei ihr reinstecken konnte. Aber vielleicht gefiel es ihr, vielleicht war sie so eine, der so was gefiel. Ich hatte ja manchmal von solchen Mädchen gehört, auf dem Schulhof oder bei den

Gesprächen der Erwachsenen. Es gab solche Frauen und vielleicht war Pille eine von denen. Und vielleicht würde sie mir auch erlauben, ihn bei ihr reinzustecken. Als ich daran dachte, hatte ich das Gefühl, mein Schwanz würde explodieren, und bevor ich ihn aus der Hose holen konnte, landete das ganze Zeug in meinen Sachen. Ich riss sofort meine Shorts herunter und zog meine Unterhose aus. Ich ging ein paar Schritte in den See hinein und wusch meinen Bauch. Dann spülte ich sorgfältig die Unterhose aus, wrang sie aus und legte sie über ein Gebüsch zum Trocknen. Schließlich zog ich mein Hemd aus und schwamm im See eine Runde. Ich setzte mich nackt an den Strand und sonnte mich. Ich hoffte, die beiden würden bald auftauchen, damit ich nicht zu spät zum Mittagessen käme, und gleichzeitig fürchtete ich mich davor, denn sie würden mich sicher beschimpfen, weil ich nicht bei den Fahrrädern gewartet und weil ich sie gesehen hatte. Weil ich gesehen hatte, was sie da machten. Allein loszufahren, traute ich mich nicht, ich kannte den Weg durch den Wald nicht, den Russenwald mit den Minen. Also wartete ich, denn noch einmal zu ihnen zu gehen, um ihnen zu sagen, dass ich zum Mittagessen fahren musste, wagte ich nicht.

Als ich das Knacken von Zweigen hörte, zog ich mich rasch an, auch die feuchte Unterhose. Jochen und Pille kamen Hand in Hand angelaufen. Sie sahen sehr schön aus, wie ein Liebespaar auf den Bildern in den Büchern von meinem Vater. Pille war ein paar Zentimeter größer als Jochen, aber da Jochen kräftig war, wirkte er älter als sie. Pilles Brüste und der Bauch mit dem rötlichen Haardreieck hoben sich leuchtend von dem gebräunten Körper ab. Ich hielt den Kopf leicht gesenkt, aber wegsehen konnte ich nicht.

»Ist mit den Fahrrädern alles in Ordnung?« fragte Jochen.

Ich nickte heftig. Ich war erleichtert, dass er nicht wütend war. Die beiden zogen sich schweigend an, dann gingen wir los.

»Und du hältst dein Maul, verstanden«, sagte Jochen leise zu mir.

»Natürlich, Ehrensache. Auf mich kannst du dich verlassen. Das weißt du doch«, erwiderte ich rasch. Als wir die Fahrräder erreichten, warf ich einen Blick auf Jochens Gepäckträger und auf Pilles Sattel. Die weißen Flecke waren kaum noch zu sehen. Sie waren wohl schon getrocknet, jedenfalls sagte Pille nichts, als sie sich auf ihren beschmierten Sattel setzte und losfuhr.

Als wir die Landstraße erreichten, trat ich kräftiger in die Pedalen, um sie einzuholen und neben ihnen her zu fahren. Sie sprachen über meinen Großvater, und Pille fragte, ob ich wisse, wer der neue Inspektor sei, der nach Holzwedel komme.

»Ich weiß es nicht«, sagte ich, »irgendeiner von der Partei.«

»Was soll das heißen, einer von der Partei?«

»Das weiß ich nicht. Ein Bonze eben.«

»Na, wie redest du denn. Mein Vater ist auch in der Partei. Und in zwei Jahren, da stelle ich den Antrag. Da werde ich Kandidat.«

»Du?« fragte ich nur. Ich war fassungslos. Die schöne Pille will in die Partei eintreten, das Mädchen, das ich eben ganz nackt gesehen habe, das Jochen rangelassen hatte, diese Pille wollte in die Partei eintreten. Das war unmöglich. Ich wusste doch, was Großvater von diesen Leuten hielt und was mein Vater über sie sagte, er konnte richtig grob und unflätig werden, wenn er im Familienkreis über die Parteibonzen sprach.

»Mach den Mund zu. Dir kommen ja die Fliegen rein«, sagte Pille.

»Und warum gehst du in die Partei?«

»Warum nicht? Wer was ändern will, muss da eintreten. Und ich will was erreichen. Ich will was aus meinem Leben machen, etwas Richtiges.«

»Ach so«, sagte ich und nickte. Das schien mir vernünftig zu sein. Vielleicht hatte sie Recht, und man musste wirklich in die Partei gehen, wenn man etwas erreichen wollte. Wenn Großvater in der Partei wäre, könnte er Inspektor bleiben. Es war einleuchtend, was Pille sagte. Andererseits erinnerte ich mich an die Erzählungen meines Vaters, der mit der Partei viel Ärger hatte und häufig vom Bürgermeister vorgeladen wurde, der ihn dann beschimpfte. Aber wenn Pille in die Partei eintrat, war das vielleicht doch nicht so schlecht, wie Vater und Großvater sagten. Ich hatte ihre Brüste gesehen, die großen roten Brustwarzen, das feuchte Schamhaar, von dem die Wassertropfen herabrollten. Diese Bilder mischten sich in meinem Kopf mit der Partei, und ich war verwirrt.

Ich war zurückgefallen und stieg aus dem Sattel, um mit aller Kraft in die Pedalen zu treten. Plötzlich stieg mir das Blut in den Kopf. Ich hatte meinen Samen auf Pilles Sattel gespritzt und ich wusste natürlich, dass aus dem Samen Kinder entstehen können. Pille hatte sich darauf gesetzt, ohne es zu bemerken. Wenn Pille nun von mir ein Kind bekommen würde? Sie würde in die Partei eintreten und von mir ein Kind bekommen. Ich hoffte, Pille würde glauben, dass Jochen der Vater wäre. Ich wollte es nicht, ich wollte kein Vater werden, auf keinen Fall. Ich konnte Pille nicht heiraten. Sie war älter als ich und wollte in die Partei eintreten, da würde ich doppelten und dreifachen Ärger zu Hause bekommen. Mich beruhigte nur der Gedanke, dass Großvater nicht mehr lange in Holzwedel blieb. Wir würden nie mehr hierher fahren, und Pille würde nicht herausbekommen, vom wem das Kind war.

Als Jochen mir das Rad abnahm, sagte er nochmals,

dass ich kein dummes Zeug herumerzählen dürfe. Er würde das erfahren und es würde mir schlecht bekommen. Ich hatte keineswegs vor, darüber etwas zu erzählen, und ich hoffte, die beiden hielten den Mund und würden nicht sagen, dass ich ihnen zugesehen hatte. Ich sagte zu Pille Auf Wiedersehen, aber sie antwortete mir nicht. Dann rannte ich rasch nach Hause. Ich musste die feuchte Unterhose loswerden und wollte pünktlich am Mittagstisch sitzen, damit mir keine Fragen gestellt würden. Ich hätte lügen müssen, und ich wusste, Großmutter würde es sofort bemerken.

Am Tisch in der Küche saßen bereits die Schweizer und Dorle. Großmutter stand mit den Mädchen am Herd. Sie sah kurz auf, als ich eintrat, aber sie stellte keine Fragen, und ich setzte mich auf meinen Platz neben Dorle. Meine Schwester war aufgeregt.

»Morgen kommen Mutti und Vati, um uns abzuholen«, flüsterte sie mir zu. Sie freute sich.

»Aber warum denn schon jetzt?« fragte ich.

Dorle wusste es nicht. »Wir fahren mit dem Auto zurück«, sagte sie nur.

Großvater kam mit den beiden Maurern in die Küche und die Mädchen stellten die schwarzen Töpfe auf den Tisch und teilten das Essen aus. Großmutter setzte sich neben mich.

»Du weißt ja«, sagte sie, »wir gehen hier weg. Und da gibt es für uns viel zu tun. Wir können uns nicht um euch kümmern.«

»Um mich muss sich keiner kümmern. Wir können doch auch allein ...«

»Großvater hat entschieden, Junge. Morgen fahrt ihr nach Hause.«

Ich löffelte schweigend die Suppe. Ich würde Pille nicht mehr wiedersehen, ich würde nie mehr ihren nackten Körper sehen können, ihre Brüste. Ich fauchte Dorle an, dass sie ihre Beine still halten und mich nicht immerzu stauchen solle. Ich war wütend auf meine Schwester, weil dieses Dummchen sich freute, nach Hause zu fahren.

Als mir Karin, das schwarzhaarige Küchenmädchen, Kartoffeln auf den Teller häufte, konnte ich durch die ärmellose, verschwitzte Kittelschürze ihre Brüste sehen. Sie waren groß und rötlich und hingen, als sie sich vorbeugte, schwer von ihrem Körper. Ich sah dem Mädchen ins Gesicht und fragte mich, ob sie auch schon mal mit einem Jungen im Wald gewesen war, mit ihm nackt gebadet und die anderen Sachen mit ihm gemacht hatte. Wahrscheinlich nicht, dachte ich, sie sieht nicht so aus, sie ist sicher nicht so eine wie Pille. Ihre Brüste sahen auch nicht so schön aus wie die von Pille.

»Was hast du denn? Willst du etwa noch eine Kelle Kartoffeln?« fragte Karin.

»Nein, nein«, sagte ich.

Ich wollte sie fragen, ob sie manchmal an den See geht, an den Russensee, aber vor den anderen wagte ich es nicht. Karin war bereits weitergegangen und tat Dorle auf. Ich sah zu, wie sie sich über Dorles Teller beugte, wie ihre Brüste den Kittel nach vorn drückten und den Armausschnitt weit öffneten. Ich spürte die Schwellung zwischen den Beinen und den schmerzhaften Druck und beugte mich rasch über meinen Teller. Um mich abzulenken, nahm ich die Gabel und zerdrückte sorgfältig die Kartoffelstücke in der Soße.

Am nächsten Morgen sagte ich, ich wolle schwimmen gehen. Ich wollte noch einmal zu Jochen, und ich hoffte, wir würden zusammen zum Russensee fahren, aber Großmutter sagte, ich solle Dorle mitnehmen und auf sie aufpassen.

»Und sei nett zu ihr«, ermahnte sie mich, als sie sah, dass ich mein Gesicht verzog.

Wir fuhren mit unseren Rädern zum Kiessee. Ich legte mich in den Sand und sagte zu meiner Schwester, sie solle mich in Frieden lassen und mit den anderen kleinen Kindern spielen. Ich versuchte, in meinem Buch zu lesen, aber es gelang mir nicht. Ich musste an Pille denken. Eine Stunde später kam Dorle schon wieder zu mir und bettelte darum, nach Hause zu fahren. Sie wollte auf dem Hof sein, wenn die Eltern erschienen. Ich sagte ihr, dass es noch viel zu früh sei, dass sie erst nach dem Mittagessen erwartet würden, aber sie bettelte weiter, und schließlich versprach ich ihr loszufahren, sobald ich aus dem Wasser zurück sei.

Auf dem Hof brachte ich unsere Räder in den Geräteschuppen. Dann lief ich zu Jochen, aber der ließ mich nicht ins Haus. Er kam ans Fenster und sagte, dass er keine Zeit habe. Als ich ihm erzählte, dass ich abreisen müsste, nickte er nur uninteressiert. Ich hatte gehofft, er würde es bedauern, aber er nahm es so reglos zur Kenntnis, als hätte er es nicht gehört, und schloss das Fenster. Ich blieb unschlüssig vor seinem Haus stehen und blickte in das spiegelnde Fensterglas. Ich wollte Pille noch einmal sehen, bevor ich für immer abreisen musste, aber ohne Jochen traute ich mich nicht, zu ihr zu gehen. Ich fürchtete, kein Wort herauszubekommen, wenn ich vor ihr stand, sie ansah und an ihre Brüste denken musste.

Die Eltern kamen um drei. Wir tranken mit ihnen und den Großeltern Kaffee. Großmutter hielt den Säugling im Arm und sprach zu ihm in Babysprache, wobei ihr unentwegt das Gebiss verrutschte. Dann mussten Dorle und ich in unser Zimmer gehen und die Sachen einpacken, weil die Erwachsenen etwas zu bereden hatten. Um sechs Uhr aßen wir zusammen Abendbrot, danach fuhren wir zurück. Die Großeltern verabschiedeten uns am Auto.

»Wir sehen uns ja bald«, sagte Großmutter, als sie Dorle küsste und mir über den Kopf strich.

Als der Wagen vom Hof fuhr, erblickte ich Jochen. Er stand mit zwei anderen Jungen vor seinem Haus. Ich winkte ihm, aber er sah mich wohl nicht. Vater erzählte, dass die Großeltern zu uns ziehen. Sie würden die zwei Zimmer in unserem Haus bekommen, wo früher der alte Herr Feschel gewohnt hatte, der vor einem Jahr gestorben war, und in denen nun, inmitten der Möbel von Herrn Feschel, die Aktenschränke vom Pfarrbüro standen.

»Dann wohnen Oma und Opa für immer bei uns?« fragte Dorle.

Die Eltern sagten nichts. Sie sahen sich an und schwiegen, und nach einer langen Pause und nachdem Dorle ihre Frage wiederholt hatte, sagte Mutter, ohne sich umzudrehen: »Ja, für immer.«

Mutter schien sich nicht darüber zu freuen. Dorle war ganz aufgeregt, sie stieß mich an und fragte mich, ob ich es gehört habe, dass Oma und Opa zu uns ziehen. Ich sagte ihr, sie solle sich in ihre Ecke setzen und mich nicht dauernd stoßen. Ich schaute hinaus, ich sah die Bäume vorbeihuschen und den Mond, obwohl die Sonne noch nicht untergegangen war. Ich schloss die Augen und dachte an Pille, an die Wassertropfen auf ihrem Haar. Vater weckte mich, als wir daheim angekommen waren, gab mir meinen Koffer in die Hand und schickte mich ins Haus.

DER EVANGELIST LUKAS

Sie hatten ihr Gastspiel um drei Tage verlängert. Weiße Zettel mit dicker roter Schrift klebten über den Plakaten, die an den fünf Litfaßsäulen der Stadt hingen und in den Schaufenstern vieler Geschäfte. Sogar in dem verschließbaren Aushangkasten der beiden Gemeindeschwestern war an das kleine Plakat die Mitteilung geheftet, dass man das Gastspiel des großen Erfolges wegen verlängere. Ich fragte Kade, wieso sie verlängerten, er habe doch über den Besuch in unserer Stadt so geklagt. Er hatte mir gesagt, dass die Leute in unserer Stadt nichts von Kunst verstünden, und sein Onkel, der Chef der Truppe, sei mit dem Kartenverkauf unzufrieden. Kade sagte mir, dass diese Verlängerungen zum Programm gehören. In jeder Stadt werde verlängert, das sei gut für das Geschäft.

Am zweiten Tag der Verlängerung fragte ich ihn, ob sie noch einmal verlängern würden. Kade schüttelte den Kopf.

»Nein«, sagte er, »morgen Abend nach der Vorstellung wird abgebrochen. Und übermorgen früh bauen wir schon wieder auf. Auf der nächsten Station.«

»Dann sehen wir uns nicht mehr?«

»Im Leben ist alles möglich, Junge«, sagte er.

Er machte seinen täglichen Rundgang, um alle Schrauben zu überprüfen und nachzuziehen und an den Seilen zu rütteln, und ich begleitete ihn. Als er fertig war, ging er zu seinem Bruder in den Wagen. Ich lief in die Stadt, ich brauchte ein Geschenk für Kade und rannte die vier Geschäfte ab, die dafür in Frage kamen. Ich stand lange vor einem Schaufenster, starrte die ausgestellten Gegenstände an und überlegte, worüber er sich freuen würde. Ich betrachtete die Objekte, die mir geeignet erschienen und die ich bezahlen konnte, dann löste ich mich von der Schaufensterscheibe und rannte zum nächsten Laden. Noch abends im Bett war ich unschlüssig. Am nächsten Morgen holte ich mein ganzes Geld aus der Blechbüchse mit dem alten Sparkassenzeichen und dem Glücksschwein darauf und kaufte ein hölzernes Haus, eine Sparbüchse, die im Dach einen Schlitz hatte, um Geldstücke hineinzustecken, und auf der Unterseite eine verschließbare Blechklappe, so dass man leicht an das Geld herankam. Nicht wie bei meiner Sparbüchse, die nur einen Einwurfschlitz besaß, der mit den Jahren immer breiter geworden war, weil ich mit dem Lineal oder mit einem Messer die Münzen herausgeholt hatte.

Für das Haus hatte ich mich entschieden, weil über der aufgemalten Eingangstür in geschwungener Schrift »Gruß aus« stand und auf der Rückseite in Druckbuchstaben der Name unserer Stadt. Kade sollte sich an mich erinnern, und ich dachte, eine kleine Sparbüchse wird nicht viel Platz in seinem Gepäck brauchen. Und außerdem war die Entscheidung für das Holzhaus gefallen, weil ich sie mit dem gesamten Geld, das ich aus meiner Blechbüchse herausbekam, gerade bezahlen konnte. Ich wollte ihm das Haus vor der letzten Vorstellung geben, in der Stunde, in der er in seinem Wohnwagen die Konzentrationsübungen machte und bevor er sich mit seinen Brüdern um den Kartenverkauf und den Einlass kümmern musste.

Sie waren am 24. August gekommen. Die bunten Plakate, die das Gastspiel der Veltronis ankündigten, hingen schon Wochen vorher in der Stadt. Für jedes ausgehängte Plakat erhielten die Besitzer der Schaufenster eine Freikarte. Auf dem kleineren Plakat wurde das Ereignis nur mit Schrift angekündigt, auf den großen war ein gemaltes Bild, ein silberschimmerndes Hochseil, auf dem ein Mann in einem roten Paillettenkostüm Einrad fuhr und auf seinen Schultern zwei weitere Männer trug, die einen bunten Hahn und ein langohriges Kaninchen auf ihren Köpfen balancierten. In den gelben Scheinwerferstrahlen waren die Artisten zu sehen, und am unteren Rand des Plakats konnte man die Köpfe von Zuschauern erkennen, die nach oben blickten. Auf dem linken Rand standen die Städtenamen, in denen die Veltronis bereits gastiert hatten, bekannte und berühmte Städte von drei Kontinenten. Auf der rechten Seite war ein längliches Viereck ausgespart, hier waren die Tage und die Uhrzeit der Vorstellungen in unserer Stadt hineingestempelt. Das Gastspiel sollte ursprünglich vier Tage dauern. Für den ersten Tag war nur eine Vorstellung um acht Uhr abends angekündigt, an den drei folgenden Tagen gab es zusätzliche Nachmittagsvorstellungen, bei denen Familien verbilligte Karten erhielten. Die für mich wichtigste Mitteilung stand ganz unten rechts. Ort der Vorführung, hieß es dort, ist die Bleicherwiese. Die Bleicherwiese ist unser Schulsportplatz, ein grasloses, staubiges Sandstück von der Größe eines Fußballfeldes, begrenzt von der Turnhalle, den Garagen der Freiwilligen Feuerwehr und dem Turm für die Schläuche mit der Sirene auf dem Dach. Unser Garten lag direkt neben der Bleicherwiese, und das bedeutete für mich freien Eintritt zu allen Vorstellungen. Freier Eintritt für mich und meine Kameraden, für Reinhard und die besonders guten Freunde.

Nachdem ich das Plakat zum ersten Mal gesehen und ausführlich studiert hatte, stellte ich in meinem Kopf eine Liste meiner Schulkameraden und Freunde auf, die ich für würdig befand, von unserem Garten aus die Vorstellungen der Veltronis zu sehen. Ich sprach nie darüber, aber jeden Tag ergänzte und korrigierte ich diese Liste, je nachdem, wie sich die Betreffenden mir gegenüber verhalten hatten. Ich belohnte und ich bestrafte, ohne etwas darüber zu sagen. Wenn ich einen Namen auf meine imaginäre Liste setzte oder einen ausstrich, fühlte ich mich stark und sehr mächtig. Ich wartete sehnsüchtig auf den 24. August. Einmal sprach mich beim Baden ein Schüler aus der achten Klasse an und sagte, dass man von unserem Garten aus die Vorstellung der Artisten sehen könnte. Weil es einer aus der Achten war, hätte ich fast zugestimmt, aber dann meinte ich nur: »Na, das glaube ich nicht. Ich habe gehört, die sichern alles ab. Und außerdem würde das mein Vater nie erlauben.«

»Was denn, kauft der sich etwa Karten?«

»Wenn er sie sehen will, sicher.«

»Na, so was Blödes. Aber klar, als Pfaffe darf er nicht bescheißen.«

»Jaja«, sagte ich. In meinem Kopf strich ich ihn von der Liste, obwohl er nie darauf gestanden hatte.

An einem Freitag, kurz vor Mittag, kamen die Veltronis an. Ein Lastwagen, auf dessen Ladefläche das Oberteil eines Waggons der Reichsbahn montiert war und dem ein fensterloser Anhänger laut scheppernd hinterherrollte, fuhr auf die Bleicherwiese. An den roten Seitenwänden des Waggons und des Anhängers stand mit weißen, nach oben führenden Buchstaben der Name Veltroni.

Ich hatte den Wagen gesehen und war in den Garten gerannt und durch die Pforte im Zaun, die nur mit einem Riegel gesichert war, auf den Platz. Ein paar Kinder standen bereits an dem Lastwagen und sprachen mit den Männern. Als ich ankam, stiegen vier Männer aus der Fahrerkabine. Die beiden jungen Männer trugen Lederjacken und Nietenhosen, einer der beiden kauerte sich zu einem kleinen Mädchen und sprach mit ihm. Um den Hals hatte er ein rotes Tuch gebunden wie ein Zigeuner.

Die beiden älteren Männer gähnten und räkelten sich. Sie sahen grau und müde aus und nicht wie Artisten, die wagehalsig auf einem Seil tänzelten. Sie liefen zusammen über den Platz, gefolgt von den Kindern. Dann ging einer der älteren Männer zur Tür des Anhängers, schloss sie auf und kletterte hinein. Ich konnte ein paar Eisenstangen in dem Hänger sehen. Als er wieder herauskam und das Schloss vorgehängt hatte, stellte er sich zu den anderen Männern. Sie sprachen miteinander, dann schlenderten sie in Richtung Marktplatz.

Nach dem Mittagessen rannte ich sofort auf den Sportplatz. Die beiden Türen des Anhängers standen weit offen, die Männer holten Gerüststangen und Drahtseile heraus. Kinder standen darum herum, ich sah zwei Jungen aus meiner Klasse und begrüßte sie. Wir schauten den Männern bei der Arbeit zu und unterhielten uns über die angekündigten Vorstellungen, über die bald beginnende Schule und über Mädchen. Als das Gerüst aufgebaut war und die Seile mehrmals gespannt worden waren, setzten die Männer die Scheinwerfer zusammen. Der junge Mann mit dem roten Tuch um den Hals rief etwas zu uns herüber, jedenfalls schien es uns so. Wir waren unschlüssig, ob er uns meinte, und blieben daher stehen. Als er nochmals rief, rannte ich zu ihm. Die beiden anderen liefen mir hinterher, aber ich war vor ihnen da.

»Hast du Zeit? Kannst du mir helfen?« fragte der Mann. Ich nickte hastig und griff nach dem Stecker, den er mir reichte.

»Bring das rüber zu dem Haus.« Er zeigte auf unsere Turnhalle. Und zu den anderen beiden sagte er: »Einer reicht. Euch brauche ich nicht, jedenfalls nicht im Moment.«

Ich zog das schwere Kabel von der Trommel und schleppte es zur Turnhalle hinüber. Dort musste ich es festhalten, während der Mann das Ende des Kabels ab-rollte und die Blechtrommel mit den Steckdosen neben die Scheinwerferständer stellte. Er hob die schwarzen Scheinwerfer hoch und steckte sie auf die Ständer, und ich hatte die Schraubenschlüssel zu halten und ihm den jeweils gewünschten hochzureichen. Er fragte mich, in welche Klasse ich ginge und dann sagte er: »Was ist das für eine Stadt? Kann man hier leben?«

Ich wusste nicht, was ich darauf antworten sollte. Ich fand seine Frage so seltsam, dass ich ihn mit offenem Mund anstarrte. Ich hatte nie darüber nachgedacht, was das für eine Stadt war, in der ich lebte, in der ich schon immer gelebt hatte. Aber warum sollte man nicht hier le-ben können? Meine Eltern wohnten hier, meine Freunde, die Nachbarn, die Lehrer, Tante Magdalena, fast alle, die ich kannte. Und ich glaubte nicht, dass sich je einer von ihnen eine solche Frage stellte. Ich hätte gern in Berlin gewohnt, weil da mehr passierte, und vielleicht würde ich ja in zwei Jahren nach Westberlin zur Schule gehen, aber ich hatte mir trotzdem noch nie die Frage gestellt, ob man in unserer Stadt leben könne.

»Nein«, sagte ich und war dabei von mir selbst über-rascht, »nein, hier kann man nicht leben.«

»Das dachte ich mir. Und warum?

»Die Stadt ist langweilig«, sagte ich leise.

Er nickte und strahlte mich an. Er sah mir zum ersten Mal ins Gesicht, und ich sah, dass er grüne Augen hatte, meergrüne Augen, wie ich sie noch nie bei einem Men-schen gesehen hatte. Der Evangelist Lukas hatte solche Augen. Auf dem großen Altarbild in unserer Marien-kirche waren die vier Evangelisten abgebildet. Sie stan-den um das Kreuz mit dem angenagelten Christus. Jeder von ihnen hielt ein aufgeschlagenes Buch in der Hand, das wohl die Bibel sein sollte, und zeigte mit einem lan-gen und eigenartig gebogenen Finger auf den Text, während er teilnahmslos und ohne Erregung oder erkennbares Mitleid auf den Gekreuzigten blickte oder zu dem Betrachter des Bildes. Alle hatten normale dunkelblaue oder graue Augen, nur Lukas hatte grüne, die aus dem Bild hervorstachen. Ich wusste, dass es nur ein Fantasiebild war, dass der Maler nie einen der Evangelisten hatte sehen können, weil diese viele Jahrhunderte vor ihm gelebt hatten. Meine Vorstellung von Jesus und den Evangelisten war von diesem Altarbild geprägt, obwohl ich wusste, dass es eigentlich falsch war, denn damals trugen die Leute ganz andere Kleidung, und Bücher gab es noch nicht, sondern Papierrollen. Wann immer über Jesus und die Jünger gesprochen wurde, dachte ich an die Darstellung auf dem Bild über dem Altar unserer Kirche. Und Lukas hatte mich besonders beeindruckt. Mir gefiel sein Evangelium besser als das der anderen, ich fand es einleuchtender, und seine Worte waren einprägsamer. Viele seiner Sätze kannte ich sogar auswendig, obwohl ich sie nie gelernt hatte und nur gelegentlich zu hören bekam. Ich glaube aber, seine grünen Augen waren es vor allem, die mich für ihn und seine Schrift einnahmen. Durch seine Augen war er vor allen anderen hervorgehoben und durch seinen besonders gelassenen, gleichgültigen Blick, den er auf den blutüberströmten, mit Nägeln durchbohrten Jesus warf. Jedesmal während des Gottesdienstes hatte ich genügend Muße, ihn zu betrachten und meinen Gedanken und Vermutungen freien Lauf zu lassen. Mir gefiel, dass er bei der entsetzlichen Szene so lässig dabei stand, die Hinrichtung scheinbar unbeeindruckt zur Kenntnis nahm, nicht gewillt, einzugreifen und zu helfen. Er faszinierte mich bei jedem Kirchenbesuch. Und nun sahen mich die gleichen meergrünen Augen an und lächelten mir ermunternd zu, und ich war gebannt wie von den Augen des Evangelisten und starrte den Mann, den die anderen nur Kade riefen, ebenso bewundernd an wie die gemalte Figur auf dem Altarbild.

»Was hast du?« fragte mich der Mann. »Irgendetwas nicht in Ordnung?«

»Ich werde hier weggehen«, sagte ich, »ich verschwinde hier, sobald ich kann.«

»Natürlich«, sagte er und schraubte die Muttern fest, »aber erst musst du erwachsen werden.«

»Ich verschwinde in zwei Jahren.«

»Soso. Und wohin? Nach Amerika?«

Ich spürte, dass er mir nicht glaubte, und weil es mir wichtig war, dass er, der Artist mit den grünen Augen, mir glaubte, sagte ich, was ich bisher noch nie zu jemandem gesagt hatte: »Ich geh nach Westberlin.«

Ich flüsterte es nur, ich hauchte es fast, aber er hatte mich verstanden. Er sah mich an, stieß einen anerkennenden Pfiff aus und lächelte. »Tatsächlich?«

»Mein Bruder ist in der vorigen Woche nach Westberlin gegangen. Und in zwei Jahren gehe ich.«

»Ganz allein?«

»Ja, allein. Aber mein Bruder ist ja dort.«

»Das würde ich aber an deiner Stelle nicht jedem erzählen. Du weißt doch, es ist verboten. Es wird bestraft.«

»Ich erzähle es keinem.«

»Mir hast du es gesagt.«

»Ja. Aber sonst keinem. Noch nie.«

»Das ist auch besser so. Und warum hast du es mir erzählt?«

»Ich weiß nicht.«

»Du vertraust mir?«

»Ja.«

»Du vertraust mir, dabei kennst du mich gar nicht.«

Ich wusste nichts zu erwidern. Ich konnte ihm nicht von dem Evangelisten Lukas erzählen, er hätte mich sicher ausgelacht.

»Naja, man muss Menschen haben, denen man vertraut. Ich könnte nicht aufs Seil gehen, wenn ich mich nicht absolut auf die andern verlassen könnte. Und die verlassen sich darauf, dass ich alle Muttern fest anziehe. Also, machen wir weiter.«

»Sind Sie ein Deutscher?«

»Du meinst, wegen dem Namen? Das ist nur ein Künstlername, verstehst du. Hört sich besser an, Veltroni, nicht wahr?«

Ich nickte, ich fand den Namen großartig. Man musste schon einen klingenden, leuchtenden Namen besitzen, wenn man etwas erreichen wollte.

»Und ihr seid eine Familie?«

»Na, mehr oder weniger. Wir waren mal eine Familie, aber seit mein Vater tot ist, hat mein Onkel einen alten Freund in die Familie aufgenommen.«

»Ist er heruntergestürzt?«

»Wer?«

»Ihr Vater. Sie sagten doch, er ist tot.«

»Nein, er ist nicht heruntergestürzt, gottbewahre. Er war krank, sehr krank. Und nun hol mir den Franzosen aus der Werkzeugkiste. Weißt du, was ein Franzose ist?«

Ich nickte und rannte los.

Eine Stunde später sagte Kade, dass wir fertig seien und ich nach Hause gehen könne. Er bot mir eine Freikarte an und fragte, zu welcher Vorstellung ich kommen wolle.

»Ich werde mir jede ansehen«, sagte ich.

»Dann ist das hier wirklich eine langweilige Stadt, Junge«, sagte er und lachte, »hast du denn so viel Geld?«

»Ich brauche kein Geld. Ich sehs mir von unserem Garten an«, sagte ich und wies auf den Zaun.

»Ach so, dann hast dus ja gut. Dann brauchst du keine Freikarten.«

»Nein, aber wenn Sie mir trotzdem eine für heute Abend geben könnten ...«

Ich erzählte meinen Eltern, dass ich für die Abendvor-stellung eine Eintrittskarte geschenkt bekommen hatte, und musste tausend Fragen beantworten, warum und wieso. Aber da noch Ferien waren, erlaubte Vater es schließlich. Nur die Geschwister maulten und protes-tierten, weil sie erst am nächsten Tag die Nachmittags-vorstellung sehen durften. Als ich gehen wollte, rief mich Mutter zurück, und ich musste mir noch einen dicken Pullover und eine Jacke anziehen.

»Um zehn bist du zurück«, sagte sie. Dann zog sie mich am Jackenaufschlag zu sich und nestelte an mei-nem Kragen, damit ich ordentlich aussähe.

Einer der älteren Männer, der Freund von Kades On-kel, saß in dem engen Kassenabteil und verkaufte die Karten. Kade und sein Bruder, den sie »Prärie« riefen, standen an den aufgestellten Eisengittern, von denen eins etwas zurückgezogen war und den Eingang bildete. Beide hatten Mäntel übergezogen, das Kostüm darunter konnte man nur im Ausschnitt erkennen. Ich war ent-täuscht, dass es keine weiteren Absperrungen gab. Wer nicht bezahlen wollte, brauchte nur vor den Gittern ste-hen zu bleiben und konnte das Metallgerüst mit dem Drahtseil ebenso gut sehen wie jene, die eine Karte ge-löst hatten und sich unter dem Seil aufstellten. Keiner würde mich bitten müssen, ihn in unseren Garten mit-zunehmen.

Ich zeigte Kade meine Eintrittskarte, er nahm sie mir aus der Hand, zerriss sie und gab sie mir zurück. Er sagte nichts zu mir. Vielleicht erkannte er mich nicht, weil ich andere Sachen hatte anziehen müssen. Ich stellte mich neben einen der Scheinwerfer, die schon eingeschaltet waren. Ein paar Schüler, die ich vom Schulhof kannte, sah ich, aber keinen aus meiner Klasse. Frau Blüthgen, die neue Geografielehrerin, stand mit ihrem Mann ne-ben mir. Ich grüßte sie, als sie zu mir herüberblickte. Sie war erst vor einem halben Jahr an unsere Schule gekommen, und kurz vor Ferienbeginn war ihre Familie, ihr Mann und zwei kleine Kinder, hierher gezogen, in einen Neubau draußen in der Siedlung. Kurz vor acht dröhnte schmetternde Zirkusmusik blechern aus den Lautsprechern. Für einen Moment wurde es ruhiger, aber da doch nichts passierte, setzte das Stimmengewirr wieder ein. Der Sportplatz war jetzt sehr voll, mehr als zweihundert Leute warteten darauf, dass die Vorstellung endlich beginne, aber es passierte nichts. Zehn nach acht kam Kade aus dem Eisenbahnwaggon, er trug ein silbernes Trikot mit einem breiten roten Ledergürtel, seine kräftigen Schultern waren nackt und wurden durch das schmale Oberteil hervorgehoben. Das Stimmengewirr erstarb mit einem dumpfen, gebrochenen Ton wie ein Seufzer, alle schauten zu Kade und verfolgten jede seiner Bewegungen. Hinter Kade erschien sein Onkel und dann sein Bruder, beide ebenfalls in silbernen Trikots, aber bei Kade sah es besser aus. Die drei kamen direkt auf mich zu und gingen an mir vorbei zu der Leiter, die zu dem Podest auf dem Gerüst führte. Kades Onkel öffnete den Deckel einer Holzkiste und nahm eine Handvoll weißes Pulver heraus. Alle drei bestäubten die Hände, die Arme und den Hals. Sie kletterten nur mit Hilfe der Hände die Leiter hoch, die Beine hielten sie dabei schräg abgewinkelt. Als sie zu dritt auf dem Podest standen, die Arme umeinander gelegt, verbeugten sie sich nach allen Seiten. Es gab etwas Beifall, ich klatschte heftig. Kade lief mit einer Stange über das Seil, die Vorstellung hatte begonnen.

Eine ganze Stunde lang starrte ich, den Kopf im Nacken, unverwandt nach oben und klatschte immer wieder Beifall, länger und lauter als alle anderen. Die Scheinwerfer waren bereits erloschen, und nur die alte Blechlaterne über dem Eisengitter am Eingang brannte noch, als ich nach Hause ging. Vater fragte, wieso ich so spät komme, die Vorstellung sei doch längst vorüber. Ich wollte ihm erzählen, was die drei Männer auf dem Seil gemacht hatten, dass sie mit Rädern darauf hin und her gefahren wären und eine Pyramide gebildet hätten, aber Vater wollte nichts davon hören und schickte mich ins Bett.

Am nächsten Morgen ging ich gleich nach dem Frühstück auf den Sportplatz, aber keiner der Männer war zu sehen. Erst gegen zehn schaute Kades Onkel, den die anderen Männer nur den »Chef« nannten, aus der Tür des Wohnwagens. Er trug einen abgeschabten, blauen Bademantel und seine nackten Füße steckten in Filzlatschen. Eine halbe Stunde später kam Kade heraus. Als er mich sah, nickte er. Er fragte, ob ich etwas Zeit hätte, er wolle sich die Stadt ansehen, ich solle sie ihm zeigen. Wir liefen ein Stunde durch die Stadt und ich redete unaufhörlich. Ich zeigte ihm die Kuranlagen und das große neue Kulturhaus, das alte Kloster und die Reste des Refektoriums, das seit Jahrzehnten oder vielleicht Jahrhunderten kein Dach besaß, dessen Mauern aber unversehrt waren, selbst der Mörtel zwischen den Feldsteinen war fest und glatt. Ich erzählte alles, was ich von unserer Stadt wusste und von den Erwachsenen gehört hatte. Vor allem aber erkundigte ich mich nach seinen Reisen und Auftritten im Ausland und wie er es geschafft habe, auf einem Seil zu gehen und Fahrrad darauf zu fahren.

»Du möchtest wohl mit uns reisen?« fragte Kade.

Ich erstarrte. Das Blut stieg mir in den Kopf und ich nickte. Seit Tagen, seitdem ich zum ersten Mal die Plakate der Veltronis gesehen hatte, dachte ich daran, heimlich aus der Stadt, aus dem Elternhaus zu verschwinden. Alles hinter mir lassen, die Schule, die Lehrer, die Streitigkeiten und Schlägereien auf dem Schulhof, diese ganzen dummen Wassersuppen, die ich hasste und die mich hassten, weil ich in der Schule besser war oder weil sie einfach stärker waren. Und meine Eltern wollte ich bestrafen. Wenn ich verschwunden war, würden sie es bereuen, dass sie mich so wenig beachtet und Dorle und die Kleinen unaufhörlich vorgezogen hatten. Einfach mit den Veltronis mitreisen, aus der Stadt weg, durch das ganze Land. Ich würde die Welt sehen, und irgendwann, nach vielen Jahren, würde ich wiederkommen, und alle würden mich bewundern. Doch als Kade mich fragte, fühlte ich mich ertappt und konnte nur stumm nicken.

Kade lachte. Er fasste mich unters Kinn, drehte meinen Kopf zu sich und sagte: »Aber du musst aufs Seil, wenn du mitkommen willst. Traust du dir das zu?«

»Nein.«

»Dann wird es wohl nichts mit uns, mein Junge. Dann können wir dich nicht gebrauchen.«

Ich zählte ihm auf, was ich alles konnte, aber er lachte nur. Am Markt spendierte er uns ein Eis, das wir auf der Parkbank in den Grünanlagen aßen. Auf einer der Bänke neben uns saß die Geografielehrerin mit einem ihrer Kinder. Sie schaute zu uns herüber. Wahrscheinlich hat sie Kade erkannt, dachte ich, und bewunderte ihn so wie ich, weil er so ein guter Artist ist. Kade bemerkte, dass Frau Blüthgen ihn anstarrte, und fragte mich, ob ich die Frau kenne. Ich sagte ihm, dass sie Lehrerin sei und ich bei ihr Unterricht hätte.

»Tolles Mädchen«, sagte Kade, »bei der hätte ich auch gern etwas Unterricht.«

Ich sagte ihm, sie sei in der Klasse nicht beliebt, weil sie jede Woche Leistungskontrolle mache, aber das interessierte Kade nicht. Er warf seine Eistüte hinter die Bank, obwohl man die Waffel zum Schluss, wenn nur noch ganz wenig Eis drin war, aufessen konnte.

»Danke für die Begleitung, Kleiner. Aber du solltest jetzt verschwinden. Nach Hause gehen, verstehst du.«

»Ich habe Zeit. Ich kann noch weiter mitkommen.«

»Du verstehst scheinbar nicht. Du sollst verschwinden. Verschwinde endlich, geh. Du kannst ja zur Vorstellung kommen. Ich steh heute in der Kasse, ich lass dich rein.«

Er blieb auf der Bank sitzen, als ich aufstand und langsam durch die grünen Büsche schlenderte. Am Modegeschäft von Herrn Grebe am Ende des Markts drehte ich mich zu ihm um. Er saß jetzt auf der Bank neben der Lehrerin und unterhielt sich mit ihr. Ihr Kind hatte er auf seinem Schoß.

Am Nachmittag ging ich zur Bleicherwiese. Kade gab mir keine Freikarte, er winkte mich nur durch. Es gab genau die gleiche Vorstellung wie am Abend zuvor, nur die Scheinwerfer waren nicht angestellt, und es gab weniger Beifall, weil so viele kleine Kinder gekommen waren, die sich bald langweilten und die anderen Zuschauer störten. Ich sah auch Mutter und meine Geschwister, aber ich blieb an der Leiter stehen und ging nicht zu ihnen, obwohl mich Mutter zu sich winkte. Den Kindern, die neben mir standen, sagte ich mehrmals, sie sollten ruhig sein, aber es half nichts. Ich klatschte wieder heftig, aber am Vortag war es schöner gewesen. Vielleicht fehlte das Scheinwerferlicht. Kades Kostüm leuchtete nicht wie am Abend, und es war überhaupt alles nicht so glänzend und beeindruckend. Trotzdem klatschte ich, bis mir die Hände wehtaten, um Kade nicht zu enttäuschen.

Am Abend durfte ich nicht aus dem Haus, weil meine Eltern zu irgendjemandem zu Besuch gingen und ich auf die Kleinen aufpassen sollte. Mutter hatte die beiden ins Bett gesteckt, und da man von ihrem Zimmer aus auf den Sportplatz sehen konnte, saßen wir zu dritt am Fenster und beobachteten den Auftritt der Veltronis oder vielmehr das, was man von hier aus sehen konnte, den oberen Teil des Gerüsts, die Scheinwerfer und einen Teil des Drahtseils. Noch bevor die Vorstellung zu Ende war, wurden meine Geschwister müde und wollten schlafen. Ich musste das Zimmer verlassen.

Kade hatte auch am nächsten Tag keine Zeit für mich. Er kam um zehn aus dem Wohnwagen. Ich hatte schon eine halbe Stunde auf ihn gewartet, und als er erschien, stand ich auf, um ihm entgegenzugehen.

»Weißt du, wo die Bebelstraße ist?« fragte er, als er mich sah.

»Ja, draußen in der Siedlung. Das sind die Neubauten.«

»In der Siedlung, ich weiß, aber wo ist das?«

»Sie müssen nur die Bergstraße hoch und am Friedhof vorbei und immer geradeaus gehen. Ich kann ja mitkommen, ich habe Zeit.«

»Hast du denn nie etwas zu tun? Bleib hier. Ich geh allein.«

»Ich habe doch Ferien.«

»Ja, aber heute geht es nicht. Hast du denn keine Freundin? Oder einen Freund?«

Er trug nicht das rote Halstuch, sondern ein dunkelblaues mit goldenen Sternen und Monden darauf, und seine Haare sahen anders aus. Vielleicht waren sie frisch gewaschen oder er hatte sich Pomade hineingeschmiert. Er ging die Bergstraße hoch und schaute sich das Schaufenster des Bäckers und des Kurzwarenladens an. Dann verschwand er hinter einem Bauwagen.

Die Nachmittagsvorstellung sah ich mir von unserem Garten aus an. Ich wollte nicht auf dem Platz erscheinen, mich nicht von Kade durchwinken lassen. Er hatte mich enttäuscht. Ich fühlte mich von ihm zurückgestoßen, er hatte mich gekränkt, und ich wollte ihn bestrafen. Ich klatschte auch nicht, sondern ließ, versteckt hinter unserem Gartenzaun, die Hände in den Hosentaschen.

Am Abend half ich Vater, die Büroräume im Erdgeschoss leer zu räumen. Ich musste Papierbündel und Aktendeckel in Kartons verpacken. Vater nahm die Bündel aus den Regalen, blätterte darin, schließlich gab er sie mir und sagte, in welche Kiste ich das Papier legen sollte. Ich stand meistens nur herum, weil Vater immerzu in den Papieren blätterte und lange darin las. Um neun machten wir Schluss, obwohl noch nicht einmal die Hälfte eingepackt war. Vater sagte, ich solle ins Bett, wir würden am nächsten Morgen weitermachen. Ich schlich mich noch vor dem Zähneputzen ins Zimmer der Kleinen, aber auf der Bleicherwiese war alles schon vorbei. Nur die Lampe in dem Eisenbahnwaggon brannte.

Den ganzen nächsten Tag war ich mit dem Ausräumen der beiden Zimmer beschäftigt, in die die Großeltern einziehen sollten. Am Vormittag bündelte ich mit Vater die übrigen Papiere und verpackte sie. Nachmittags kamen die Möbelträger und trugen die Regale, den Geldschrank, die beiden Schreibtische, die Bilderrahmen und die Stühle auf den Pferdewagen, der direkt vor unserer Haustür stand. Ich stapelte die Kartons auf dem Wagen. Als alles ausgeräumt war, fuhren wir nach Spora, einem Nachbarort, den Vater betreute und wo es ein Pfarrhaus gab, in dem keiner wohnte und in das wir die Möbel und Akten stellten. Vater stand im Flur des Pfarrhauses und dirigierte alles. Ich musste ihm jeden Karton vorzeigen, damit er lesen konnte, was er drauf geschrieben hatte, und mir sagen, wohin ich ihn stellten sollte. Es dauerte wieder geraume Zeit, weil Vater alles genau nahm und bei jedem Möbelstück und jedem Karton lange überlegte. Die beiden Möbelpacker sprachen sehr abfällig über Vater, weil er so viele Umstände machte und sie dadurch bei der Arbeit behinderte. Sie sprachen von ihm immer nur als von dem Pfaffen. Nach zwei Stunden war der Pferdewagen leergeräumt und die beiden fuhren weg. Ich wäre gern mit den Möbelpackern auf dem Fuhrwerk gefahren, weil sie mir auf der Hinfahrt die Zügel überlassen hatten, aber sie wollten nach Hause, und Vater brauchte mich noch. Gegen acht waren wir fertig und fuhren mit Vaters Motorrad zurück.

Am nächsten Vormittag musste ich Mutter helfen. Sie nahm in den ausgeräumten Zimmern die Gardinen ab. Ich musste neben ihr stehen und die Leiter halten und aufpassen, dass die Stores nicht auf den Fußboden fielen. Danach hatte ich heißes Wasser aus der Waschküche zu schleppen, weil sie die Fenster putzte. Gegen elf entließ sie mich endlich. Auf dem Sportplatz war niemand zu sehen. Ich hörte die Männer im vorderen Teil des Eisenbahnwaggons reden, aber ich klopfte nicht an, weil ich nicht wusste, was ich sagen sollte. Ich blieb einfach auf dem Platz stehen, beobachtete den Wagen und wartete. Irgendwann kam Prärie heraus, er schüttete Wasser aus, stellte den Eimer auf der Treppe ab und ging an mir vorbei zur Fahrerkabine. Er stellte sich auf das Trittbrett, öffnete die Kühlerhaube des Lastwagens und beugte sich über den Motor. Mit einem Schraubenschlüssel schlug er mehrmals auf ein Eisenstück und fluchte. Als er vom Wagen herunterkletterte, hielt er mit beiden Händen die Batterie fest.

»Mach mir die Tür auf«, sagte er und wies auf den Anhänger. Er stellte die Batterie hinein und fragte mich: »Was treibst du dich hier rum? Auf was wartest du?«

»Ist Kade da?«

»Kade? Was willst du denn von ihm. Er ist jetzt nicht zu sprechen, er hat keine Zeit.« Prärie grinste und fügte hinzu: »Der Junge ist schwer beschäftigt.«

Er schraubte die Stöpsel der Batterieverschlüsse ab, holte ein Ladegerät hervor, steckte die Schnur in eine Steckdose der Kabeltrommel und schloss die Batterie an. Ich wusste nicht, was ich tun sollte. Zu Hause hätte ich sicher Vater oder Mutter helfen müssen.

Prärie stand für einen Moment neben dem Ladegerät

und betrachtete es, dann verschloss er die Tür des Anhängers.

»Was willst du denn von Kade? Macht ihr Geschäfte?«

»Nein.« Ich schüttelte verständnislos den Kopf.

»Er ist drinnen«, sagte er und zeigte auf den hinteren
Eingang des Waggons, »aber für dich hat er wohl jetzt
keine Zeit.«

Er lief an mir vorbei. Dann blieb er stehen, drehte sich
zu mir um und sagte: »Aber frag ihn selbst. Geh einfach
rein, du musst nicht anklopfen.«

Ich stieg die drei Holzstufen der heruntergeklappten
Treppe hoch und öffnete die schwere Eisentür. Es war
niemand da. Ich ging hinein und schloss die Tür hinter
mir. Ich stand unversehens in einem Zimmer. Hier drinnen erinnerte nichts an den Eisenbahnwaggon, es sah
aus wie in einer gewöhnlichen Wohnstube. Nur dass die
Zimmerdecke rund war und die beiden Fenster mit breiten Kautschukgurten nach unten versenkt werden mussten, um sie zu öffnen. Zwei Sessel und eine am Kopfteil
schon fadenscheinige Couch standen in der Mitte des
Zimmers auf einem dicken, schmutzigen, roten Teppich.
An der Wand hingen Bilder und in einem Regal mit
Glastüren befanden sich Flaschen und Gläser. Auf dem
niedrigen Tisch zwischen des Sesseln lagen Wäschestücke,
Unterhosen, Socken und ein Strumpfhaltergürtel. Auf
einer Anrichte neben dem Regal mit den Glastüren war
ein Radioapparat mit einem grünen magischen Auge in
der Mitte. Leise plärrend ertönte Musik.

Der Raum gefiel mir. Ich sah mir die Bilder an der Wand
an, es waren Fotos der Veltronis. Die Männer hatten sich
nebeneinander aufgestellt und starrten in die Kamera. In
mehreren Rahmen waren Zeitungsausschnitte mit Berichten über ihre Auftritte zu sehen, häufig mit einem
kleinen Foto. Einige Texte waren in fremden Sprachen
geschrieben, sogar ein Zeitungsartikel aus einer chinesi-

schen oder einer koreanischen Zeitung war dabei. An der Tür zum Nebenraum hing das gleiche Plakat, das an den Litfaßsäulen unserer Stadt klebte. Prärie hatte gesagt, dass ich in den Wagen gehen solle, aber mir war unbehaglich, ich wusste nicht, ob ich hier auf Kade warten oder wieder hinausgehen sollte. Die Tür zum Nachbarzimmer wagte ich nicht zu öffnen. Im Radio nannte eine Männerstimme die Tauchtiefen von Flüssen. Ich ging zu dem Apparat und drehte an dem Knopf. Der leuchtende rote Stab wanderte über die Städtenamen, die auf die gelbe Scheibe des Radios gedruckt waren, er bewegte sich über Kopenhagen, Oslo, Mailand nach Athen. Es erklang Blasmusik, und ich bewegte den Knopf langsamer, um die Musik besser einzustellen. Ich kauerte noch vor dem Radio, als die Tür zum Nachbarzimmer geöffnet wurde. Ich schreckte hoch, eine Frau stand mit dem Rücken zu mir. Sie trug ein weißes Kleid und war barfuß. Das offene Haar hing ihr bis zur Hüfte herunter. Sie griff nach dem Strumpfhaltergürtel, der auf dem Couchtisch lag.

»Ich habe ihn, er war tatsächlich hier«, rief sie in den anderen Raum hinüber.

Sie streifte sich ihr Kleid hoch, stieg in den Gürtel und zog ihn über ihre Beine nach oben. Sie trug keine Schlüpfer, ich konnte ihren weißen, großen, nackten Hintern sehen. Die Frau rückte sich den Gürtel zurecht, ihre Schenkel wackelten hin und her. Dann strich sie ihn über dem Hintern glatt, sie beugte sich dabei nach vorn und streckte mir den Hintern entgegen. Ich stand direkt hinter ihr, nur durch den Sessel getrennt, und starrte auf die weißen Hinterbacken, die unter dem Strumpfhaltergürtel zu sehen waren, und auf das schwarze Schamhaar zwischen den Schenkeln. Ich wollte mich räuspern, um sie auf mich aufmerksam zu machen, aber meine Kehle war wie zugeschnürt. Bevor ich etwas sagen oder auch nur einen Laut hervorbringen konnte, hatte sie ihr Kleid heruntergestreift und war in den Nebenraum zurückgegangen. Ich wollte nun rasch verschwinden, aber ich wusste nicht, wie ich aus dem Zimmer kommen sollte. Ich hätte an den Sesseln vorbeigehen müssen und an der offen stehenden Tür zum Nachbarzimmer. Ich wagte mich nicht hinzusetzen und ich wagte mich nicht zu rühren. So blieb ich einfach stehen und starrte auf die offene Tür.

»Lass mich«, hörte ich Kade sagen, »ich muss mich auf den Auftritt vorbereiten.«

»Sehen wir uns morgen?« fragte die Frau mit einer bittenden, kindlichen Stimme.

Kade antwortete nicht, ich hörte nur ein leises Knurren.

»Kommst du zu mir? Du kannst morgen zu mir kommen.«

Dann war es lange still. Etwas fiel auf den Boden, die Frau kicherte, und Kade sagte hörbar verärgert: »Nun ist gut. Lass mich in Ruhe.«

»Aber du nimmst mich doch mit? Du hast es mir versprochen.«

»Und deine Kinder?« fragte Kade.

»Konrad sorgt für sie. Er versorgt sie viel besser als ich. Er ist überhaupt der bessere Mensch. Dagegen bin ich ein Luder.«

»Du bist verrückt, Mädchen. Du bist völlig verrückt.«

»Nach dir, Kade. Ich bin nach dir verrückt. Ich geh mit dir, wohin du willst. Ich will immer bei dir bleiben.«

Die Frau sprach mit einer Stimme wie ein kleines Mädchen. Ich war sicher, dass ich diese Stimme noch nie gehört hatte, aber trotzdem kam sie mir irgendwie bekannt vor.

»Aber wie stellst du dir das vor, Kathrin? Hier, im Wohnwagen? Das ist kein Zuckerschlecken. Du wirst deine Kinder vermissen, deine Wohnung. Und irgendwann deinen Mann.«

»Ich geh mit dir überallhin. Und es ist mir ganz egal, wo ich wohnen muss. Der Wohnwagen ist wunderschön, wenn du nur da bist.«

»Ich wohne hier nicht allein, Mädchen. Wie stellst du dir das vor?«

»Wie ich es mir mit dir vorstelle? Na so.«

Die Frau kicherte, ich hörte ein Stöhnen, schließlich wurde es still.

»Geh jetzt«, sagte Kade, »geh endlich.«

»Wir sehen uns morgen?«

»Jaja.«

»Du kommst zu mir?«

»Ja.«

»Ich warte auf dich. Um zehn? Einverstanden?«

»Ja, so gegen zehn.«

»Ich liebe dich, Karl.«

»Nun geh schon.«

»Liebst du mich? Sag mir, dass du mich liebst.«

»Aber sicher, Mädchen.«

Frau Blüthgen erschien in der Tür. Sie war jetzt nicht mehr barfuß und ihre Haare waren zu einem dicken Zopf geflochten, der ihr über eine Schulter hing. Als sie mich sah, nickte ich und murmelte Guten Tag, aber Frau Blüthgen antwortete mir nicht. Ihre Augen wurden ganz groß, sie stieß einen Schrei aus, einen kurzen, schrillen Schrei, der plötzlich abbrach. Dann floh sie in das Zimmer zurück, sie stürzte dabei fast hin. Ich hörte sie aufgeregt flüstern, Kade fragte sie etwas und sie redete weiter. Ich stand hinter dem Sessel, nicht fähig, mich zu rühren.

Kade kam herein. Er war nackt und hielt sich ein Handtuch vor den Bauch. Als er mich sah, fragte er bloß: »Was machst du denn hier?«

Seiner Stimme merkte ich an, dass er nicht böse war, nur überrascht.

»Ich wollte nur …«, sagte ich und stockte, weil ich nicht wusste, was ich sagen sollte.

»Wie bist du hier reingekommen?«

»Prärie hat es gesagt. Prärie hat gesagt, ich soll einfach reingehen.« Ich war so aufgeregt, dass ich stotterte.

»Prärie? Aber die Tür war doch zugeschlossen.«

Ich schüttelte den Kopf.

»So? Mach jetzt, dass du hier rauskommst.«

»Kann ich …«

»Nein. Verschwinde. Oder warte mal. Geh jetzt und warte draußen auf mich.« Er fasste mich am Arm und schob mich zur Tür. Dann trat er zurück und wedelte mit der Hand, um mir zu bedeuten, dass ich verschwinden solle.

Ich stand mehr als zehn Minuten vor dem Wohnwagen. Ich hörte die Stimme von Frau Blüthgen, sie sprach sehr laut, sie weinte, danach wurde es still. Prärie kam mit der Werkzeugkiste über den Platz. Als er mich erblickte, blieb er stehen und grinste.

»Hast du Kade gesehen?«

Ich nickte finster.

»Hats dir die Sprache verschlagen? Na, ich hoffe, du bist nicht blind geworden.« Er lachte auf und kletterte in den Anhänger. Die Tür des Waggons wurde geöffnet und Frau Blüthgen erschien. Als sie mich sah, wurde sie feuerrot. Sie stieg die Holztreppe herunter, ohne mich anzusehen. »Geh rein«, sagte sie böse zu mir.

Da ich mich nicht rührte, sagte sie nochmals und sehr wütend: »Geh endlich rein.«

Kade saß im Sessel und rauchte eine Zigarette. Er war angezogen, die Füße steckten in Filzlatschen.

»Mein Gott, Junge, was machst du für Dummheiten.«

»Aber Prärie hat gesagt …«

»Prärie ist ein Arschloch. Machst du immer, was dir einer sagt?«

»Ich wusste doch nicht ...«

»Jaja, schon gut. Was hast du denn gesehen? Na red schon.«

Ich sah den weißen Hintern von Frau Blüthgen vor mir, aber davon wagte ich Kade nichts zu erzählen.

»Nichts habe ich gesehen«, sagte ich, »ich war ja eben erst reingekommen.«

Er sah mir in die Augen, und ich kniff mir in einen Finger, um mich zu zwingen, seinem Blick standzuhalten.

»Schön«, sagte er endlich, »du hast nichts gesehen und du hast nichts gehört, und dabei bleibt es. Wir sind doch Freunde, Daniel, nicht wahr. Aber wenn ich hören sollte, dass du irgendeinen dummen Quatsch rumerzählst, wenn du irgendetwas erzählst, was du gar nicht gesehen haben kannst, weil es hier nichts zu sehen gab, dann setzt es ein paar Watschen, die du in deinem Leben nicht vergessen wirst.«

Ich nickte nur.

»Du kannst jetzt gehen.«

»Ich dachte, wir wollen ...«

»Geh mir nicht auf die Nerven. Lass mich in Frieden. Verschwinde.«

»Und morgen?«

»Was weiß ich. Du kannst ja morgen fragen.«

Ich ging nach Hause. Ich schlich mich durch den Hausflur und lief leise die Treppe hinauf, damit Mutter mich nicht hörte. Im Flur nahm ich die Katze aus dem Korb und brachte sie in mein Zimmer. Ich setzte mich auf mein Bett, hielt die Katze fest und streichelte sie.

Kade hatte mich weggeschickt, er war verärgert, aber Schuld daran war nur Prärie. Und nun wusste ich nicht, ob Kade noch etwas mit mir zu tun haben wollte. Dabei waren wir doch befreundet, das hatte Kade selbst gesagt. Und das andere Problem war Frau Blüthgen. Ich hatte ihren nackten Hintern gesehen, und in ein paar Tagen begann die Schule. Ganz bestimmt würde sie mir keine guten Zensuren geben. Aber um auf das Gymnasium in Westberlin zu kommen, brauchte ich gute Zensuren, ich brauchte ein sehr gutes Abschlusszeugnis. Und das hatte mir Prärie mit dem nackten Hintern von Frau Blüthgen versaut. Jedenfalls war das zu erwarten, weil die meisten Leute es nicht so gern haben, wenn man ihren nackten Hintern sieht, auch wenn mir der von Frau Blüthgen überhaupt nicht gefallen hatte, so weiß und so groß wie er war. Er interessierte mich überhaupt nicht. Ich wollte mit Kade zusammen sein, und am liebsten würde ich mit ihm ziehen, mit ihm und den Veltronis durch die Welt reisen, in einem Eisenbahnwaggon leben und jede Woche in einer anderen Stadt sein. Die Veltronis gastierten in ganz Europa. Sie waren sogar schon in Amerika. Ich wäre die Schule los und die Stadt, und ich hätte das schönste Leben, das man sich vorstellen konnte, wenn ich auch nicht wusste, was ich bei den Veltronis machen könnte, außer Karten verkaufen und abreißen und das Gerüst aufbauen und die Scheinwerfer, aber dafür hatten sie schon den Freund von Kades Onkel. Auf das Seil konnte ich nicht gehen, da brauchte man mindestens eine Eins im Sport, obwohl auch das nicht ausreichte, denn in meiner Klasse hatten drei Jungen eine Eins im Sport, und die würden sich auch nicht auf das Seil wagen. Doch jetzt, nach dieser Geschichte mit Frau Blüthgen, wollte Kade sicher nichts mehr von mir wissen. Er würde mich sowieso nicht mitnehmen, sondern die Lehrerin, die hatte ja gesagt, dass sie mit ihm gehen würde und dass er es ihr versprochen hätte. So wäre ich sie wenigstens los und bekäme in Geografie einen neuen Lehrer, der mir nicht unbedingt aus Rache eine schlechte Zensur verpassen wollte. Aber dann würde die Lehrerin mit Kade reisen und nicht ich, und alles worauf ich noch hoffen könnte, wäre Westberlin, was nicht schlecht war, aber längst nicht so gut, wie mit den Veltronis umherzureisen, sich alle Städte in der Welt anzusehen und sich am Abend zu verbeugen, wenn das Publikum begeistert Beifall klatschte. An allem war Prärie schuld, und ich wusste nun überhaupt nicht mehr, was ich tun sollte.

Die Tür ging auf, und Mutter sah ins Zimmer und sagte: »Ach, hier hast du dich versteckt, da kann ich ja lange suchen. Nun komm und hilf mir. Wir bringen die Teppiche in den Hof und du kannst sie mal klopfen. In ein paar Tagen kommen deine Großeltern.«

Sie ging hinaus und ließ die Tür offen stehen. Ich warf die Katze auf den Fußboden, sie fauchte und rannte weg.

Kade hatte keine Zeit mehr für mich, obwohl die Veltronis ihr Gastspiel um drei Tage verlängert hatten. Jeden Vormittag ging er in die Siedlung und am Nachmittag hatte er zu tun. Am letzten Tag lief ich nach der Nachmittagsveranstaltung zu ihm in den Waggon. Ich klopfte an und öffnete die Tür erst, nachdem er »Herein« gerufen hatte. Ich schenkte ihm die hölzerne Sparbüchse, damit er mich nicht vergaß und weil ich noch immer hoffte, er würde mich mitnehmen. Als ich ihm die Büchse gab, sah er sie sich an und sagte verwundert, dass er nicht wisse, was er damit anfangen solle. Zuletzt stellte er sie auf die Anrichte neben das Radio. Er sagte mir, dass sie in der Nacht alles abbauen und am nächsten Morgen sehr früh aufbrechen würden. Ich fragte ihn, ob er Frau Blüthgen mitnimmt, aber da lachte er und wollte wissen, wie ich darauf käme. Schließlich schickte er mich raus und klopfte mir zum Abschied auf die Schulter. Für ihn war es damit erledigt, das war sein ganzer Abschied.

Auf dem Sportplatz wartete ich noch einige Minuten, aber er sah nicht aus dem Wagen, er rief mich nicht zurück, er hatte mich wohl schon vergessen. In der nächsten Stadt würde er gewiss einen anderen Dummen finden, der ihm half und ihn herumführte, und würde ihn, ohne lange zu fackeln, in gleicher Weise verabschieden. Ich ärgerte mich, dass ich mein gesamtes Geld für eine Sparbüchse ausgegeben hatte, die ihn überhaupt nicht interessierte.

Am Abend durfte ich die letzte Vorstellung vom Gartenzaun aus anschauen. Als ich am nächsten Morgen aufwachte und aus dem Fenster im Zimmer der Kleinen auf den Sportplatz sah, war das Gerüst und der Eisenbahnwaggon verschwunden.

Drei Tage später begann die Schule, und in der ersten Hofpause traf ich Frau Blüthgen, die Aufsicht hatte. Als ich sie grüßte, drehte sie sich einfach um. Ich hatte nichts erzählt, wie ich es Kade versprochen hatte, doch irgendwie war es trotzdem bekannt geworden, dass sie mit Kade zusammen gewesen war. In der Klasse sprachen einige Schüler darüber, und einer fragte mich, ob ich etwas gesehen hätte, weil ich ja direkt neben dem Sportplatz wohnte und mich bei der Truppe herumgetrieben hatte. Aber ich dachte an Kade und mein Versprechen, und wenn ich auch von ihm enttäuscht war, mein Versprechen wollte ich halten. Nur Reinhard, meinem besten Freund, erzählte ich, dass ich den nackten Hintern von Frau Blüthgen im Wohnwaggon von Kade ausführlich besichtigen konnte. Er fragte mich aus, und weil er mir nicht glaubte, beschrieb ich ihm in allen Einzelheiten, wie ihr Hintern aussah und was ich im Wohnwagen gesehen hatte.

In der zweiten Geografiestunde am Freitag rief mich Frau Blüthgen auf, und ich musste die Flüsse Afrikas aufzählen, doch weil ich immerfort daran denken musste, dass sie sich bestimmt an mir rächen wollte, fiel mir nur der Nil ein, und sie gab mir eine Fünf. Ich sagte zu Reinhard, die Fünf sei der Beweis, dass ich ihren nackten Hintern gesehen habe, aber er meinte, es beweise nur, dass ich von Afrika nicht den leisesten Schimmer hätte und vielleicht mal einen Blick ins Schulbuch tun sollte, statt dauernd von nackten Ärschen zu träumen.

Am dritten September kamen die Großeltern an. Es gab soviel zu tun, dass ich überhaupt nicht mehr an Kade und die Veltronis denken konnte.

Tante Magdalena habe ich von dem nackten Hintern nichts gesagt. Sie hätte es womöglich meinen Eltern erzählt, und mit meinem Vater über einen nackten Frauenhintern zu reden, das war ein Ding der Unmöglichkeit. Ich habe ihr aber von Kade erzählt, weil sie sich auch eine Vorstellung der Veltronis angeschaut hatte, und von der Fünf in Geografie. Sie hat dazu nur gelacht und gesagt, mit Afrika habe sie immer Probleme gehabt. Als sie zur Schule ging, da gab es noch den Rohrstock, und wenn einer keine Antwort wusste oder etwas Falsches sagte, musste er beide Hände vorstrecken und durfte nicht zurückzucken, wenn ihm der Lehrer mit einem kurzen, kräftigen Hieb auf die Finger oder auf die Handfläche schlug. Und wenn einer zuckte, musste er nochmals die Hände vorhalten und bekam einen weiteren Schlag.

»Das tat wahnsinnig weh«, sagte Tante Magdalena, »aber viel geholfen hat es mir nicht, weil ich aus Angst vor der Strafe nicht einmal das herausbrachte, was ich gut gelernt hatte. Und über Afrika wusste ich gar nichts. Wenn der Lehrer mich aufrief und mir ausgerechnet über Afrika eine Frage stellte, da habe ich nicht lange überlegen müssen, sondern gleich meine Hände vorgestreckt, damit er mit seinem Rohrstock zuschlagen konnte.«

Sie lachte auf und fügte hinzu: »Frag mich mal nach den Flüssen in Afrika.« Und als ich es tat, streckte sie beide Hände vor und machte ein erschrecktes Gesicht. Und dann lachte sie wieder herzlich und laut glucksend, bis ihr die Tränen in die Augen stiegen.

Ich habe von Kade nie wieder etwas gehört, ich habe auch nie ein Bild von ihm oder den Veltronis in einer Zeitung gesehen, und in unserer Stadt sind sie nicht noch einmal erschienen. Vielleicht reisten sie jetzt durch ganz andere Städte. Oder einer von ihnen war heruntergestürzt und sie konnten nicht mehr auftreten. Aber jeden Sonntag, wenn ich zum Gottesdienst gehen musste und die grünen Augen des Apostels Lukas auf der rechten Altarseite erblickte, erinnerte ich mich an Kade und an den nackten Hintern von Frau Blüthgen. Und wenn die Kirchgänger ihre Köpfe senkten und laut beteten, starrte ich in die meergrünen Augen von Lukas und sagte ihm, dass er, wenn er mich schon nicht auf den Reisen bei sich haben wollte, wenigstens meine Geografielehrerin hätte mitnehmen sollen. Aber so durchdringend ich ihn auch fixierte, er blickte geduldig und gelassen auf mich herunter, mit dem seltsam gebogenen Zeigefinger auf das Buch in seiner Hand weisend.

Anfang September zogen die Großeltern in die Wohnung im Erdgeschoss ein. Als ich aus der Schule kam, waren ihre Sachen bereits im Haus, und der Möbelwagen fuhr gerade los. Im Flur standen vier Holzkisten und der große Schiffskoffer, mit dem Dorle in Holzwedel so gerne auf dem Dachboden gespielt hatte. Nachdem ich bei Tante Magdalena die Schularbeiten gemacht hatte, half ich den Großeltern beim Einräumen. Schon am nächsten Tag kam es zwischen Mutter und Großmutter zu einem Streit. Ich war auf dem Hof, der unser Haus vom Schuppen, dem Holzstall und dem dahinterliegenden Garten trennt, und versuchte mit einem Freund, meine Fahrradlampe zu reparieren, als ich die lauten Stimmen hörte. Sie stritten sich wegen Geld.

Solange Großvater Gutsinspektor war, hatten die Großeltern uns unterstützt. Sie schickten Pakete mit selbstgemachter Wurst, eingepökeltem Fleisch und manchmal auch mit einem geschlachteten Huhn oder einer Gans. In jedem Frühjahr gab es ein dickes Spargelpaket. Der Spargel war bündelweise in Rhabarberblätter gewickelt, um die Blätter waren nasse Tücher gepackt, und diese Bündel steckten in einem kleinen Koffer aus Vulkanfiber, der mit mehreren Schnüren zugebunden war, die Vater sehr sorgfältig und langwierig aufknüpfte und zu einem Knäuel wickelte.

Tante Magdalena hatte mir gesagt, dass meine Eltern von den Großeltern auch mit Geld unterstützt wurden. Nun konnten sie uns nicht weiter helfen, da Großvater nicht mehr Inspektor war und nur noch eine Rente bezog.

Als ich ins Haus ging und bei den Großeltern vorbeischaute, saß Großmutter in der Küche und weinte, und Großvater saß an seinem Schreibtisch im Nebenzimmer, rauchte eine Pfeife und fragte, ob ich Lust hätte, mit ihm die Erdbeerbeete zu säubern. Ich erkundigte mich, warum Mutter so geschimpft habe, doch er brummte nur, dass es um nichts gegangen sei, dass die Frauen sich immer so leicht aufregten und wir einfach weghören sollten.

Irgendetwas hatte sich verändert, seit die Großeltern bei uns wohnten. Früher in Holzwedel war Großvater immerzu auf den Beinen gewesen, er erteilte Anweisungen, sah jeden Fehler, jede Veränderung auf dem Hof und auf den Feldern, er bemerkte sogar, wenn eine Katze humpelte oder eine Taube kränkelte. Für uns hatte er wenig Zeit, und mit seinen Leuten sprach er stets in einem sehr bestimmten, befehlenden Ton. Ich merkte, dass die Arbeiter Respekt vor ihm hatten und manche auch Angst. Wenn er auftauchte, waren alle plötzlich beschäftigt und emsig über ihre Arbeit gebeugt. Man fürchtete ihn, man fürchtete sein Brüllen, das man auf dem ganzen Gutshof und in jedem Stall hören konnte, und seine harte Hand, mit der er einen Arbeiter wutentbrannt von einem Tier wegriss, das er falsch behandeln sah, oder mit der er jemandem einen Stoß versetzte, der sich allzu langsam bewegte. Auch wir, seine Enkelkinder, gingen ihm aus dem Weg, da er stets eine Arbeit für uns hatte, sobald er uns erblickte.

Und Großmutter war den ganzen Tag durch das Haus und die Küche gewuselt, sagte den Mädchen, was zu tun sei, und überwachte nicht nur die Hausarbeiten, sondern griff selbst resolut zu. Sie war morgens die erste am Herd und abends verschloss sie alle Türen, wenn die Mädchen längst in ihre Zimmer gegangen waren. Großmutter wurde nie laut, sie sprach ruhig und freundlich mit den Küchenhilfen und den Bäuerinnen, hörte sich geduldig deren Einwände an und korrigierte gelegentlich eine Entscheidung, wenn eins der Mädchen etwas sagte, was ihr vernünftig erschien. Vor Großmutter hatte keiner Angst, aber man hörte auf sie. Selbst Großvater wurde still und grummelte nur noch leise, wenn seine Frau zu ihm »Aber Wilhelm!« sagte, weil er wieder einmal unwirsch geworden war und mit irgendjemandem herumschnauzte.

Seitdem sie zu uns gezogen waren, war alles anders geworden. Großvater arbeitete nun jeden Tag ein paar Stunden in unserem Garten, er bestellte auch das Feld hinter der nördlichen Stadtgrenze, das zum Pfarramt gehörte und wo wir Kartoffeln und Kohl anbauten. Am Nachmittag saß er in seinem Zimmer hinter dem großen Schreibtisch, den er aus Holzwedel mitgebracht hatte, und las stundenlang in der Zeitung und rauchte seine Pfeifen. Für uns Kinder hatte er jetzt Zeit, und er brüllte auch nicht mehr, mit niemandem. Nur wenn er uns anfasste und an sich zog, tat es immer noch weh. Er sprach wenig, manchmal mit Vater oder einem Gartennachbarn oder mit dem Besitzer der Gärtnerei, die hinter unserem Garten lag. Ich habe ihn einmal gefragt, ob ihm Holzwedel fehle. Da hat er nur den Kopf geschüttelt, mit der Hand mehrmals auf den Tisch geklopft, wie es seine Angewohnheit war, und gesagt: »Ach was, Junge, was mir fehlt, ist Regen. Jetzt müsste es mal drei Tage lang regnen. Und in Holzwedel möchte ich nicht begraben sein. Wenn du groß bist, wirst du begreifen, dass man nur sehr wenige Dinge in seinem Leben wirklich braucht. Früher fehlte mir viel, mir fehlte ewig etwas. Aber heute brauche ich nichts mehr. Nichts, außer Regen.«

Großmutter hielt sich den Tag über in ihrer Küche auf, die sich unmittelbar hinter der Wohnungstür befand und durch die man hindurchgehen musste, wenn man in die anderen Räume, das Wohnzimmer mit dem runden Esstisch und Großvaters Schreibtisch und das Schlafzimmer, gelangen wollte. Sie versorgte die Hühner und unsere Ziege, die auf dem Hof eingestallt waren. Wenn es in der kleinen Küche nichts mehr zu tun gab, saß sie am Küchentisch und las ein Buch aus der Leihbücherei. Besonders liebte sie Dumas und Fontane.

In Holzwedel hatte ich sie nie mit einem Buch gesehen, dafür gab es viel zu viel in der Gutsküche zu tun, und jetzt schien sie alles nachholen zu wollen. Bevor sie die abgegriffenen Leinenbände in die Leihbücherei zurückbrachte, durfte ich sie lesen. Sie sprach mit mir nie über die Bücher, sie fragte höchstens, ob mir dieser Roman gefallen oder ob ich jenes Buch überhaupt verstanden hätte. Doch in ihren Gesprächen mit anderen zitierte sie häufig Sätze, die sie gelesen hatte, und berief sich beim Anhören einer alltäglichen Geschichte oder eines ungewöhnlichen Vorfalls in der Nachbarschaft, im Gespräch über ein Liebesverhältnis in unserer Stadt oder bei einem Streit im Familienkreis gern auf die Romane, in denen ähnliches beschrieben worden sei, und meinte, dass die Sache unweigerlich zu einem entsprechenden Ende, zu einer vergleichbaren Katastrophe führen müsse. Ihre Belesenheit und die literarischen Verweise beeindruckten. Gelegentlich lächelten meine Eltern über sie, nannten ihre Besorgnis unbegründet, man lebe schließlich in einer anderen Zeit. Und Tante Magdalena sagte, in den Romanen werde das Leben im allgemeinen viel zu dramatisch beschrieben, so dass sie für den eigenen Alltag wenig Nutzen brächten und man sich hüten sollte, sie für bare Münze zu nehmen oder sich gar von ihnen leiten zu lassen. Aber Großmutter glaubte an das geschriebene Wort, und der Graf von Monte Christo war für sie nicht weniger wahr und verpflichtend als die Ermahnungen der Propheten aus der Heiligen Schrift, die ebenso zu ihrer fortwährenden Lektüre gehörte. Wenn eines der von ihr prophezeiten Schicksale sich erfüllte und sie jemand auf diesen Umstand ansprach, wurde ihr Mund ganz spitz, und sie lächelte nur mit ihren winzigen, eingesunkenen Augen. Allenfalls sagte sie: »Ja, natürlich.« Oder sie erwiderte, scheinbar bescheiden und doch sehr mit sich selbst zufrieden: »Es stand so geschrieben.«

Bei Großmutter waren wir immer willkommen. Für uns Kinder hatte sie, seit sie bei uns lebte, viel Zeit. Wenn wir zu ihr gingen, fragte sie zuallererst, ob wir nicht Hunger hätten und sie uns nicht rasch ein Bratei oder eine Pflaumenmusschnitte machen solle. Sie stellte uns einen Teller hin, setzte sich neben uns und forderte uns auf, kräftig zuzulangen. Und dann erzählte sie von Schlesien, von dem Gut, das sie und Großvater dort verwaltet hatten. Damals, so schien mir, mussten sie sehr reich gewesen sein. Als Vater und Mutter heirateten, schenkten die Großeltern ihnen eine vollständige Wohnungseinrichtung, maßgefertigt vom besten Tischler in Breslau, so beeindruckend, dass selbst der Chefarzt der Klinik neidisch geworden sei, wie Großmutter sagte. Woche für Woche war eine Kutsche vom Gut vor dem Haus meiner Eltern vorgefahren und hatte ihnen Eier, frisch geschlachtetes Fleisch, Gemüse, Obst und selbstgebackenes Brot aus der Gutsbäckerei gebracht. Als der Krieg begann, mussten die Lieferungen mit der Kutsche eingestellt werden, aber nach wie vor wurde jede Woche ein Bote zu meinen Eltern geschickt, und an Eiern, Brot und Gemüse habe es nie gemangelt. Großvater wurde nicht eingezogen, weil er schon älter war und der Gutsbesitzer sich dafür eingesetzt hatte, ihn als unabkömmlich einstufen zu lassen und seine Verwaltertätigkeit als kriegswichtig. Zu der Zeit arbeiteten auf dem Gut fast nur noch Frauen. Später ließ sich der Gutsbesitzer Zwangsarbeiter zutei-

len, Polen und Russen. Großvater wurde zweimal angezeigt, weil er die Ausländer zusammen mit den Deutschen
verköstigte, was verboten war. Vor Gericht begründete
er seine Anordnung mit den fehlenden Räumlichkeiten
und einem nicht zu vertretenden Arbeitsaufwand, aber
dass er schließlich mit einer Geldstrafe davonkam, ver-
dankte er nur dem energischen Auftreten des Gutsbesit-
zers in der Verhandlung.

Auch Vater wurde nicht eingezogen, da sein linkes
Schienbein nach einem Sportunfall nicht zuheilen wollte
und er mit der offenen Wunde für die Front untauglich
war. Anfang 1945 war der Kriegslärm bereits auf dem
Gut der Großeltern und in dem Dorf meiner Eltern zu
hören. Die Ortsgruppenleiter forderten die Familien
auf, die Häuser zu verlassen und sich auf den Treck
Richtung Westen zu begeben, was sie noch wenige Wochen zuvor mit Strafandrohungen strikt verboten hatten. Großvater erschien mit Pferden und einem Leiter-
wagen bei uns und half meinen Eltern beim Aufladen.
Dann fuhren sie zum Gut der Großeltern, und am nächsten Tag begann die Flucht nach Brandenburg, Thüringen und Sachsen-Anhalt, eine Reise, die erst ein volles
Jahr später ihr Ende fand und bei der sie sich von vielen
ihrer Habseligkeiten trennen mussten, um nicht zu ver-
hungern. Den beiden Familien blieb schließlich von den
drei großen Erntewagen und den sechs Pferden nur noch
ein klappriger Kastenwagen, mit dem einst Mist gefahren worden war und den ihnen ein Bauer unterwegs ein-
getauscht hatte, und ein älterer, schorfiger Gaul.

Großmutter erzählte uns gern von den Mädchen, die
damals bei ihr gearbeitet hatten. Sie waren aus dem nä-
heren Umkreis zu ihr aufs Gut gekommen und wohnten in dem ausgebauten Dachgeschoss. In Breslau besuchten sie eine Wirtschaftsschule für Mädchen, und die
praktische Ausbildung als Köchin oder Haushälterin

bekamen sie von Großmutter. Sie wurden Haustöchter genannt und von ihr tatsächlich wie eigene Töchter angesehen und umsorgt. Über ihr Schicksal nach Kriegsende wusste sie wenig oder wollte mir nichts davon erzählen, doch sie sprach noch immer liebevoll von ihnen. Ich hörte ihr besonders gern zu, wenn sie von ihrer richtigen Tochter, meiner Mutter, erzählte oder von ihrem Sohn Ralf, der an der Ostfront gefallen war. Er war Flieger und wurde zwei Jahre vor Kriegsende als vermisst gemeldet, nachdem er von einem Einsatz über Weißrussland nicht zurückgekehrt war. Sein Foto hing bei den Großeltern im Wohnzimmer, dasselbe Foto in demselben Rahmen, das schon in Holzwedel gehangen hatte: ein junger Mann in Fliegeruniform, lächelnd und selbstbewusst. Ralf soll ein sehr lustiger Mensch gewesen sein.

»Ralf und deine Mutter waren unzertrennlich«, sagte Großmutter zu mir, »das war eine Geschwisterliebe, Junge, wie im Roman.«

Einmal, er hatte bereits den Rang eines Leutnants und war in einem Fliegerhorst südlich von Posen stationiert, war er in seinem Jagdflieger so dicht über Haus und Stallungen geflogen, dass das Heu vom Wagen gewedelt worden war und man ihn in der Kanzel des Flugzeugs deutlich erkennen konnte. Die hohen Pappeln an der Auffahrt hätten minutenlang gerauscht, erzählte Großmutter.

Weil sie nie weinte, wenn sie von ihm berichtete, fragte ich Großmutter einmal, ob sie nicht traurig wäre, dass ihr einziger Sohn im Krieg umgekommen war. Großmutter sah mich überrascht an und dachte nach. Und dann sagte sie: »Natürlich bin ich traurig, Junge, aber es ist lange her. Aber wenn ich an ihn denke, sehe ich nur den kleinen Jungen vor mir, der er einmal war. Und dann bin ich nicht mehr traurig. Es ist merkwürdig, nicht wahr, aber das machen die vielen Jahre, die seither vergangen sind. Jetzt tut es nicht mehr weh.«

»Hast du ihn vergessen?«

»Nein, natürlich nicht. Wo denkst du hin? Aber jetzt geht es mir mit ihm wie mit meinem Vater und meiner Mutter, deinen Urgroßeltern. Du hast sie nicht mehr kennengelernt, sie sind schon so lange tot. Jetzt ist Ralf auch dort, wo meine Eltern sind.«

»Du meinst, im Himmel?«

»Nein, ich meine nicht im Himmel. Ich meine hier drinnen«, und dabei tippte sie auf ihr Herz, »sie sind hier drinnen, aber irgendwie weit weg. So weit, dass sich hier nichts mehr bewegt«, und dabei tippte sie wieder auf ihre Brust. »Das ist merkwürdig, denn ich habe meine Eltern sehr geliebt. Und meinen Sohn natürlich auch. Als wir die Nachricht von Ralfs Regimentskommandanten erhielten, bin ich fast selbst gestorben. Wir haben noch drei Jahre gewartet, ehe wir dem Drängen der Behörde nachgaben, ihn für tot erklären zu lassen. Und nun ist da nichts mehr.«

Großmutter legte ihre Hand auf die Brust, und wir schauten uns beide das Foto an der Wand an, auf der ihr Sohn seine Uniformmütze in der Hand hält und den Betrachter anlächelt.

Nur die Schularbeiten machten wir nach wie vor bei Tante Magdalena, weil wir es so gewohnt waren und bei ihr mehr Platz war. Bei den Großeltern gab es dafür nur den wackligen Küchentisch, denn ihr Wohnzimmer war so verraucht, dass Mutter verboten hatte, uns darin aufzuhalten. Auch kannte sich Großmutter bei den Schularbeiten nicht so gut aus. Wenn wir sie etwas fragten, dachte sie angestrengt nach und sagte, dass ihr die richtige Antwort auf der Zunge läge, ihr aber im Moment entfallen wäre. Oder sie wollte von uns wissen, wozu wir eine Antwort auf eine solch unsinnige Frage wissen müssten, wozu wir die Flüsse eines entfernten Landes in Afrika auswendig lernen sollten oder eine chemische Formel, die man nie gebrauchen könne. Schließlich schüttelte sie den Kopf und bat uns, ihr irgendeinen Topf aus dem Schrank herauszusuchen oder einen Faden in ihre Nähnadel einzufädeln, weil sie ihre Brille verlegt und längst nicht mehr so gute Augen habe wie wir. Und damit war das Gespräch beendet und wir hatten uns allein mit der Antwort zu quälen. Dorle und ich zogen es daher vor, die Schularbeiten weiterhin bei Tante Magdalena zu erledigen.

Obwohl die Großeltern nun viel Zeit für uns fanden und sogar Großvater mit uns Gespräche führte, was er früher nie gemacht hatte, war es doch nicht mehr so schön wie auf ihrem Gutshof. Mit Holzwedel hatten wir unseren Platz für die Sommerferien verloren. Es fehlte nicht nur das große Gut, die Tiere, der Badesee und das freie Land, es war alles anders geworden. In den Ferien fuhren wir nicht mehr weg oder sehr selten und nur für ein, zwei Wochen, weil alles so teuer war. Und auch über Geld wurde viel mehr gesprochen als vorher und dass wir uns jetzt einschränken müssten.

Als Dorle sich einmal weinend bei Tante Magdalena beklagte und ihr erzählte, dass Mutter und Großmutter ständig miteinander stritten und alles nicht mehr so wie früher sei, sagte Tante Magdalena: »Dem Leben muss man von allem Anfang an ins Gesicht sehen. Ihr seid jetzt alle zusammen, das ganze Jahr über. Ihr müsst euch nicht mehr trennen, ihr könnt euch jeden Tag sehen. Das ist einfach so schön, dass man sich manchmal streiten muss.«

»Es wäre aber schöner, wenn die Großeltern noch in Holzwedel wären und wir sie im Sommer dort besuchen könnten.«

»Freilich, das wäre noch besser. Aber manchmal muss man sich im Leben mit dem Zweitschönsten zufrieden geben.«

»Was soll das sein, das Zweitschönste? Dass Mutti mit Oma herumschreit?«

»Ich bin das Zweitschönste. Denn wenn ihr nicht nach Holzwedel fahrt, können wir uns jederzeit sehen, auch in den Ferien. Nimm jetzt die Gießkanne, Dorle, wir wollen auf den Friedhof gehen. Der Daniel kann hierbleiben, aber er muss versprechen, die Spieluhr nicht anzufassen. Sie ist ein kostbares altes Stück, fast so alt und kostbar wie ich.«

Manchmal bekamen die Großeltern Post aus Holzwedel. Großvaters Freund, der Buchhalter, der bereits pensioniert war, schrieb ihnen, wie es um das Gut stand, dass der neue Inspektor die Gärtnerei geschlossen hatte und auf dem Gartengelände Kartoffeln anbauen ließ, weil Holzwedel nicht mehr den Staatsplan erfüllte und verschuldet sei. Er teilte ihnen mit, dass alle drei Schweizer wegen gemeinschaftlichen Betrugs und Unterschlagung von Volkseigentum zu Gefängnisstrafen verurteilt wurden und im Kuhstall nur noch Frauen arbeiteten, und er informierte sie, wer von den alten Bekannten in den Westen geflohen und wer im Dorf gestorben war. Wenn Post aus Holzwedel eintraf, fragte ich, ob der Buchhalter etwas von Jochen geschrieben habe, doch über Jochen berichtete er nie etwas. Und einmal brachte ich die Kraft auf, nach Pille zu fragen.

»Das ist aber komisch«, sagte Großmutter, »dass du mich nach der fragst. Stell dir vor, dieses dumme Ding hat sich ein Kind machen lassen. Und natürlich hat sie keinen Vater dazu, sie ist ja viel zu jung. Diese Trine hat sich für ihr Leben ruiniert.«

Mir wurde ganz heiß, als Großmutter das sagte, und ich bückte mich schnell und band meine Schuhe zu, damit sie nichts merkte. Ich habe hin und her überlegt, was ich tun sollte, wenn die ruinierte Pille mit dem Baby bei uns auftauchen würde. Ich sagte mir zwar, sie könne unmöglich wissen, dass ich den Samen auf ihren Fahrradsattel gespritzt hatte. Aber in einer Zeitschrift hatte ich gelesen, dass die Wissenschaftler den tatsächlichen Vater ganz genau feststellen konnten, sie mussten einem nur etwas Blut zur Untersuchung abnehmen. Ich lag nächtelang schlaflos in meinem Bett und dachte nur daran, was ich meinen Eltern sagen sollte, wenn Pille eines Tages vor der Tür stehen sollte.

Als Dorle sich wieder einmal darüber beschwerte und sagte, dass sie die Ferien nun nicht mehr in Holzwedel verbringen könne, sagte ich grob zu ihr: »Hör mit dem Gejammer auf. Wer will denn schon in dieses beschissene Holzwedel fahren. Mich jedenfalls bringen keine zehn Pferde in dieses Kuhdorf.«

Aber das war nicht wahr. Denn wenn ich lange an Pille und ihr Baby dachte, begann auch ich von Holzwedel zu träumen. Ich sah die nackte Pille vor mir, sah zu, wie die Wassertropfen über ihren Körper liefen und wie sie ihre Brüste massierte. Und ich dachte daran, was Tante Magdalena zu Dorle gesagt hatte, dass man manchmal nicht umhin komme, dem Leben ins Gesicht zu sehen. Und wenn man Pilles Brüste gesehen hatte und mit offenen Augen von ihnen träumte und von den Wassertropfen, die über ihren Bauch und das rotschimmernde Haarnest rollten, dann passierte es halt, dass ein Mädchen ein Kind bekam und man selbst im Schlamassel saß, weil man dem Leben ins Gesicht gesehen hatte, auch wenn man erst zwölf oder dreizehn Jahre alt war. Aber darüber konnte ich mit keinem sprechen, nicht einmal mit Tante Magdalena. Damit musste ich allein fertig werden.

DIE SCHLUMMERNDE VENUS
UND DIE HAUSORDNUNG

Tante Magdalena saß mit dem aufgeschlagenen Buch in ihrem Sessel, ich stand vor ihr und trug die Ballade vor. Tante Magdalena las mit, ihre Lippen bewegten sich lautlos. Wenn ich stockte, wartete sie einen Moment, bevor sie mir das fehlende Wort zuflüsterte. Ich sah auf ihre Lippen, denn dadurch fiel es mir leichter, den Text aufzusagen.

»Dafür bekommst du eine glatte Eins«, sagte Tante Magdalena, als ich fertig war, »du sprichst so wunderbar wie ein Schauspieler. Mir ist es kalt den Rücken runtergelaufen, als der Kapitän nach dem Steuermann ruft. Und der Schluss, wenn alle Glocken läuten, nein, war das schön.«

Tante Magdalena betupfte ihre Brillengläser mit dem Taschentuch, das bei ihr vorn im rechten Ärmel steckte, hinter dem Armreif.

Ich bekam tatsächlich eine Eins. Als Fräulein Kaczmarek zu Beginn der Stunde fragte, wer die Ballade gelernt hatte, meldete sich zuerst überhaupt niemand, doch das bedeutete nichts. Wir meldeten uns bei solchen Fragen grundsätzlich nicht, schließlich gingen wir nicht mehr in die erste Klasse, wo jeder, der eine Antwort wusste, sofort seinen Arm hob und mit den Fingern schnipste, um aufgerufen zu werden. Wir saßen auf unseren Stühlen und reagierten nicht. Sie musste jeden einzeln aufrufen. Außer mir konnten nur zwei Mädchen das Gedicht, doch sie leierten es herunter und blieben bei jeder Strophe stecken. Ich deklamierte es mit richtiger Betonung und fast fehlerfrei, und als ich die Eins bekam, war in der

Klasse keiner neidisch, und ich war zufrieden, denn nur wegen der Eins hatte ich die Ballade auswendig gelernt. Ich brauchte eine gute Note, um meinen Zensurendurchschnitt zu verbessern.

Nach der Stunde rief mich Fräulein Kaczmarek zu sich und fragte, ob ich nicht im Dramatischen Zirkel der Schule mitmachen wolle. Man sei gerade dabei, ein neues Stück vorzubereiten, und suche noch einen guten Darsteller wie mich. Ich hatte keine Lust, zweimal in der Woche am Nachmittag in die Schule zu gehen, um auf der Bühne der Aula irgendwelche dummen Liebesszenennen mit einem dicken Mädchen zu probieren und später, wenn das Stück vor allen Schülern aufgeführt werden würde, in der Klasse ausgelacht zu werden, aber da ich unbedingt ein gutes Abschlusszeugnis brauchte, wollte ich Fräulein Kaczmarek nicht verärgern. Ich sagte, dass ich wenig Zeit hätte, denn ich müsse zu Hause viel helfen. Sie erwiderte, dass die Teilnahme am Dramatischen Zirkel der Schule als gesellschaftliche Tätigkeit gewertet würde. Außerdem würden alle Mitspieler in den Herbstferien nach Dresden fahren, weil unsere Schule sich im Vorjahr für den diesjährigen Wettbewerb der Schülertheater qualifiziert hatte. Ich stand vor ihr und überlegte. Die Vorstellung, mich mit diesen Spielnachmittagen von allen anderen außerschulischen Pflichten befreien zu können, reizte mich. Ich hatte bemerkt, dass man mit ein paar besonderen Kenntnissen und Fähigkeiten in der Schule leicht glänzen und die Zensuren aufpolieren konnte. Dass ich mich in den griechischen und römischen Sagen gut auskannte, hatte mir schon zu einer Eins in Deutsch verholfen, und im Geschichtsunterricht hatte ich durch einen Vortrag über ägyptische Hieroglyphen meine Note ebenfalls verbessert. Und mich reizte die in Aussicht gestellte kostenlose Reise nach Dresden. Ich versprach, es mir zu überlegen.

An einem Dienstag im April ging ich zum ersten Mal in die Schulaula zur Probe. Fräulein Kaczmarek selbst hatte das Stück ausgesucht und leitete die Proben, sie bestimmte auch das Bühnenbild und die Kostüme, und sie entschied, wer welche Rolle zu spielen hatte.

Der Zirkel bestand aus fünfzehn Schülern, aus meiner Klasse waren zwei Mädchen dabei, Claudia und Kristin, die ich beide im letzten Jahr in einer Aufführung gesehen hatte. Die dicke Claudia hatte damals eine komische Alte gespielt, was sie sehr gut machte. Und Kristin hatte bereits eine Brust. Sie war das einzige Mädchen in der Klasse, das schon eine Brust hatte, und die anderen Mädchen erzählten, sie würde damit angeben. Die beiden begrüßten mich begeistert, aber ich nickte ihnen nur kurz zu.

Wir mussten uns in die erste Reihe setzen. Fräulein Kaczmarek verteilte die Rollen, und wir lasen das Stück laut vor. Nach jedem Akt verteilte sie die Rollen neu. Dann wollte sie mit uns darüber sprechen, doch das Gespräch über Inhalt und Aussage des Stücks kam nicht in Gang. Alle wollten eigentlich nur wissen, wer von uns welche Rolle bekäme. Ich merkte gleich, dass Fräulein Kaczmarek mir die Hauptrolle geben wollte, weil ich beim Vorlesen zweimal diese Figur zugeteilt bekommen hatte, aber an diesem Tag wurde über die Verteilung noch nicht gesprochen. Wir sollten erst das Stück begreifen und analysieren, bevor wir uns mit unserer eigenen Rolle beschäftigten.

Zwei Tage später, nach einer Deutschstunde, fragte mich Fräulein Kaczmarek wegen der Hauptrolle. Ich war auf die Frage vorbereitet und hatte mir gute Gründe zurechtgelegt, warum ich für diese Rolle überhaupt nicht geeignet sei. In Wahrheit wollte ich sie nicht, weil der Held zum Schluss eines der Mädchen küssen musste und ich mich nicht am Premierentag vor allen Mitschülern zum Clown machen lassen wollte. Sie fragte mich, was ich gern spielen würde, und ich nannte ihr eine Nebenrolle, Johnny, einen Freund des Helden, der mit witzigen Sprüchen und Ausdrücken die Handlung kommentierte und sich auf der Bühne nicht mit Mädchen herumknutschen musste. Fräulein Kaczmarek war enttäuscht, aber sie sagte nichts.

Auf der nächsten Probe bekam ich die Rolle des Johnny, obwohl auch die anderen Jungen diese Rolle haben wollten.

Im September war Premiere in der Schulaula. Ich erhielt den meisten Beifall, wahrscheinlich aber nur, weil mein Text komisch war. Bei dem Jungen aus der Nachbarklasse, der die Hauptrolle spielen musste, klatschten nur die Mädchen, und am nächsten Tag riefen ihm die Jungen auf dem Schulhof »Kussmaul« hinterher. Wenn er an einer Gruppe von Schulkameraden vorbeikam, machte jedesmal einer ein schmatzendes Kussgeräusch, um ihn zu ärgern, und wann immer ich diese Schmatzlaute hörte, war ich froh, dass es mir gelungen war, Fräulein Kaczmarek auszureden, mir diese dumme Rolle zu übertragen.

In den Herbstferien fuhr ich mit dem Schülertheater nach Dresden. Jeder von uns musste sein Kostüm im eigenen Koffer mitnehmen, das Bühnenbild und die Requisiten wurden mit einem Auto transportiert.

Zusammen mit fünf anderen Gruppen, die sich gleichfalls im vergangenen Jahr für die Dramatische Werkstatt qualifiziert hatten, wurden wir in einem Schülerheim am Stadtrand untergebracht, die Jungen wohnten im ersten Stock und die Mädchen im zweiten. Fast alle kamen aus dem Süden des Landes, aus Thüringen und Sachsen. Nur eine Gruppe kam aus Berlin und dieser Zirkel hatte schon zweimal einen Preis gewonnen. Die Berliner Schüler hielten sich für sehr viel begabter als alle übrigen.

Wie die anderen arbeiteten wir am Vormittag und am Nachmittag an einem neuen Stück, einer klassischen Komödie. An den ersten drei Tagen lasen wir das Stück mehrmals und redeten darüber. Fräulein Kaczmarek nannte das die Stückanalyse, es war wie im Deutschunterricht. In dem neuen Stück wurde nicht geküsst, da bekam nur einer von allen anderen Prügel, was mir nicht so ehrenrührig erschien, und diesmal war ich einverstanden, die Hauptrolle zu übernehmen.

Jeden Abend hatte eine Gruppe ihre letzte Inszenierung im Speisesaal vor den anderen Schülern zu spielen. Die Vorführungen wurden durch einen Aushang vor dem Schülerheim für die Öffentlichkeit angekündigt, aber aus der Stadt kamen nur ein paar Rentner zu uns, denen alles gleichermaßen gefiel.

Die Berliner zeigten ein sowjetisches Revolutionsstück, mit dem sie im Frühjahr einen ihrer Preise gewonnen hatten, aber nur die Lehrer klatschten begeistert. Von allen anderen erhielten sie sehr viel weniger Beifall als unsere Gruppe.

Wir traten am dritten Abend auf, und ich bekam wieder den meisten Applaus, aber auch der Hauptdarsteller, der das Mädchen küssen musste, konnte sich dreimal verbeugen. Nach unserem Auftritt wurde ich von allen nur noch »Johnny« gerufen und das war mir lieber als »Kussmaul«.

Am Freitag nach dem Mittagessen, als wir zwei freie Stunden hatten und im Park hinter dem Schülerheim herumlungerten, kamen zwei Mädchen und fragten mich, wie alt ich sei.

»Vierzehn«, log ich.

»Na, siehst du«, sagte eins der Mädchen zu ihrer Freundin.

»Ich habe gehört, du bist erst dreizehn, Johnny«, sagte das andere Mädchen.

Ich antwortete ihnen nicht, sondern tat, als wäre ich gelangweilt und würde lieber in meinem Buch weiterlesen.

»Kennst du Mareike?«

Ich nickte. Sie war mir aufgefallen, weil sie immer kurzärmlig herumlief, obwohl im Schülerheim noch nicht geheizt wurde. Und außerdem hatte ich bemerkt, dass sie bei den gemeinsamen Mahlzeiten zu mir herübersah.

»Sie will mit dir befreundet sein.«

»Mit mir? Wer sagt das?«

»Na, Mareike natürlich.«

»Hat sie euch geschickt?«

»Wir wollen nur mal fragen.«

»Ach so«, sagte ich, »und warum kommt sie nicht selber zu mir?«

»Sollen wir ihr das sagen?«

Ich räusperte mich verlegen. Ich spürte, dass meine Hände feucht wurden.

»Warum will sie denn mit mir befreundet sein?«

»Na, warum schon? Sie ist in dich verschossen.«

Die beiden Mädchen kicherten laut und ich wurde rot.

»Soll sie zu dir kommen?«

Ich nickte.

Die beiden Mädchen winkten aufgeregt zu Mareike hinüber, die an einem Baum lehnte und zu uns schaute. Da sie sich nicht von der Stelle rührte, liefen die Mädchen zu ihr. Ich blieb auf der Bank sitzen und tat, als würde ich in meinem Buch lesen. Ich wusste nicht, was ich tun sollte, wenn Mareike wirklich zu mir kommen würde. Ich war sehr aufgeregt und mir war ein bisschen schlecht. Ich hielt den Kopf gesenkt und starrte angestrengt über den Buchrand hinweg zu den drei Mädchen. Als Mareike plötzlich losging, beugte ich mich noch tiefer über mein Buch und sah erst auf, als sie vor mir stand und mich ansprach.

»Du wolltest mich sprechen, Johnny?«

Vor Verlegenheit erhob ich mich und gab ihr die Hand. Dann setzte ich mich rasch.

»Nein, ich wollte dich nicht sprechen«, stotterte ich, »deine Freundinnen haben gesagt, naja, sie haben gesagt, du willst mich sprechen.«

Mareike setzte sich neben mich.

»Ich wollte dir nur sagen, du warst ganz toll, Johnny, vorgestern, als ihr gespielt habt.«

»Du warst auch nicht schlecht. Ich meine, als ihr gespielt habt.«

»Unser Stück war nicht so gut. Willst du Schauspieler werden?«

»Daran habe ich noch nie gedacht«, sagte ich. Ich war sehr stolz, dass sie mich danach fragte.

»Und du? Willst du Schauspielerin werden?«

»Nein. Ich tanze. Ich werde Tänzerin.«

»Eine richtige Tänzerin?«

Sie nickte. Ich war sehr beeindruckt.

»Glaubst du mir nicht?«

»Doch«, sagte ich rasch. Ich überlegte, was ich noch sagen könnte, aber mir fiel nichts ein, nichts Richtiges. Die Pause wurde endlos lang. Ich spürte, sie wartete darauf, dass ich endlich den Mund aufmachte. Mir war unbehaglich und ich schwitzte

»Wollen wir spazieren gehen?« fragte sie.

»Ich habe Zeit«, sagte ich.

Ich ärgerte mich, weil mir das nicht eingefallen war. Wir liefen durch den Park, den Kiesweg entlang. Ich sah nur manchmal verstohlen zu ihr. Wenn wir an ihren Freundinnen vorbeigingen, fragten die jedesmal, ob Mareike nicht zu ihnen kommen wolle, und Mareike rief ihnen zu, sie sollten sich um sich selber kümmern.

»Diese dummen Weiber«, sagte sie zu mir, »los, wir gehen in den Wald. Dann haben wir vor denen Ruhe.«

Sie fragte mich, in welche Klasse ich gehe, aber da ich

ihren Freundinnen gesagt hatte, dass ich schon vierzehn sei, sagte ich ausweichend, ich müsse noch ein paar Jahre zur Schule gehen, da ich das Abitur machen wolle.

»Abitur? Das ist nichts für mich. Ich bin froh, wenn ich endlich die Penne verlassen kann. Und als Tänzerin braucht man kein Abitur.«

Im Wald fragte sie mich, ob es mich störe, wenn sie mich »Johnny« nenne, und ich sagte, es sei mir gleichgültig. Sie erkundigte sich, ob ich fände, dass sie zu dicke Beine habe. Bevor ich antworten konnte, lief sie zwei Schritte vor, drehte sich zu mir um und zog ihr Kleid so hoch, dass ich ihre Beine bis zu dem weißen Schlüpfer sehen konnte.

»Nein, dick sind sie nicht«, brachte ich endlich heraus und schluckte.

Sie hielt das Kleid noch immer hoch, drehte sich vor mir hin und her und betrachtete ihre Beine.

»Na schön, ich habe keine dünnen Beine. Sie sind vielleicht kräftig, aber nicht dick. Und sie sind ganz gerade, siehst du das, Johnny?«

Ich wusste nicht, ob ihre Beine dick oder dünn waren, mir war so heiß, dass ich überhaupt nicht denken konnte.

»Ich bin zufrieden mit meinen Beinen, die können sich sehen lassen. Und solche spindeldürren will ich nicht geschenkt haben. Ein bisschen Fleisch am Knochen muss schon sein, sagt meine Mutter. Und eine Tänzerin braucht kräftige Beine. Jede Tänzerin hat kräftige Beine. Das sind Muskeln. Da kannst du anfassen, das ist alles fest.«

Ich starrte stumm auf die rosa Borte an ihrer Unterhose und hoffte, sie würde wiederholen, dass ich ihre Beine anfassen soll. Sie hatte zwar so etwas geäußert, aber wahrscheinlich war das keine richtige Aufforderung gewesen, sondern nur so dahin gesagt. Ich wusste nicht, ob ich mich einfach bücken und eine ihrer Waden oder gar einen Oberschenkel anfassen sollte. Sie ließ ihr Kleid fallen und erzählte etwas über die Muskeln von Tänzerinnen. Ich konnte ihr nicht zuhören, weil mir das Blut in den Ohren rauschte. Während ich neben ihr her lief und sie weiter plapperte, beschimpfte ich mich im Stillen, weil ich nicht gleich zugegriffen hatte.

Auf dem Rückweg, noch bevor wir den Wald verließen, blieb sie plötzlich stehen und sagte: »Komm mal her, Johnny.«

Ich ging einen Schritt auf sie zu und sah sie an, aber sie sagte nur: »Komm noch näher.«

Ich machte noch einen Schritt und wartete. Sie sah mich an und schwieg, und ich überlegte, was sie jetzt von mir erwartete.

»Ich mag dich, Johnny.«

»Ich mag dich auch, Mareike. Ich mag dich sehr gern.«

Ich spürte, dass nun etwas geschehen musste, aber Mareike sah mich nur an. Vielleicht sollte ich sie küssen, vielleicht wäre das aber auch ganz falsch, und ich würde alles kaputtmachen, und sie wäre entsetzt über mich. So stand ich vor ihr und hoffte, sie würde sagen, was ich tun sollte.

»Wir müssen gehen«, sagte sie, »wir kommen zu spät zur Probe.«

Am nächsten Nachmittag gingen wir wieder in den Wald. Wir hatten uns nicht verabredet, aber wir trafen uns wie selbstverständlich nach dem Mittagessen im Park. Mareike redete unaufhörlich, sie erzählte von ihren Tanzstunden und von ihren Schulfreundinnen und sprach über Suhl, die Stadt, aus der sie kam. Manchmal fragte sie mich etwas und ich antwortete ihr, aber meistens schwieg ich, lief neben ihr her und hörte zu. Ich fragte sie, ob wir uns nicht hinsetzen wollen, aber sie meinte, es sei dafür viel zu nass, und sie würde sich in dem Gras ihr Kleid dreckig machen und einen kalten Hintern kriegen.

»Und das sehen die Mädchen, das kannst du mir glauben. Wenn die auch allesamt blinde Hühner sind, das sehen die genau. Und wie die sich dann das Maul über uns zerreißen würden. Nee, lieber nicht.«

Und dann sagte sie auf einmal zu mir: »Gib mir einen Kuss, Johnny.«

Damit sie es sich nicht anders überlegte, küsste ich sie rasch und hastig. Ich wollte ihren Mund küssen, aber ich traf ihn nicht ganz genau, meine Nase störte dabei.

»Naja«, sagte sie nur. Und dann fragte sie mich: »Hast du schon einmal eine Freundin gehabt?«

»Eine Freundin? Du meinst, so richtig?«

»Ja, natürlich.«

»Nein, so richtig hatte ich noch keine Freundin. Das war nur so, weißt du.«

»Das merkt man, Johnny. Küssen kannst du nicht. Da musst du noch viel lernen.«

»Wenn ich will, kann ich richtig küssen«, behauptete ich.

»Und warum willst du jetzt nicht?«

»Weiß nicht«, sagte ich.

»Na, du bist ja ein komischer Heiliger«, sagte sie, »bist du wirklich schon vierzehn? Claudia sagt, du bist erst dreizehn.«

»Woher will die denn das wissen, diese dicke Nudel. Natürlich bin ich vierzehn. Ich bin doch ein ganzes Stück größer als du.«

»Das bedeutet nichts«, sagte sie, »küssen kann ich jedenfalls richtig und du nicht.«

Bevor wir ins Schülerheim zurückkehrten, versuchte ich, sie noch einmal zu küssen, aber dabei bekam ich ihre Haare in den Mund, und sie behauptete, ich hätte sie mit der Zunge geleckt, und sie wischte mehrmals über ihre Lippen.

Am Sonntag hatten wir keine Proben. Nur die Essen-

Zeiten mussten wir einhalten, und eine Stunde nach dem Abendbrot sollte im Speisesaal getanzt werden. Einer der Lehrer hatte ein Tonbandgerät mitgebracht und einen Karton mit Tonbändern. Fräulein Kaczmarek fragte beim Frühstück, wer mit ihr in die Gemäldegalerie gehen wolle. Mareike nickte mir zu, hob ihre Hand und schnipste mit den Fingern, und ich meldete mich ebenfalls. Der Junge neben mir stieß mich in die Seite und sagte, dass wir doch zum Fußball verabredet seien und wieso ich mir die alten Schinken ansehen wolle, und ich sagte, dass ich mir beim Frühsport einen Fuß verknackst hätte und sowieso nicht mitspielen könne.

Wir waren ungefähr dreißig, die zur Gemäldegalerie fuhren, und natürlich waren alle fünf Lehrer dabei, aber das störte mich nicht. In der Straßenbahn stand Mareike neben mir, fasste nach meiner Hand und drückte sie fest. Das war mir angenehm und unangenehm zugleich, weil ihre Freundinnen zu uns starrten und sich über uns unterhielten.

Die Galerie war größer, als ich sie mir vorgestellt hatte. Von jedem Raum gelangte man in weitere Säle und Treppenflure. Es waren viele Besucher gekommen, und an der Kasse mussten wir uns anstellen, und auch bei manchen Bildern musste man warten, bevor man einen Blick darauf werfen konnte. Es gab riesige Bilder mit Königen und Fürsten und Blumenvasen und ganz kleine mit Schlittschuhläufern und Hunden. Vor den Darstellungen mit den Helden der griechischen und römischen Sagen erzählte ich Mareike die dazugehörige Geschichte, und sie hörte interessiert zu. Manchmal lauschten auch andere Besucher auf das, was ich sagte, dann machte mich Mareike darauf aufmerksam, und ich merkte, wie stolz sie auf mich war. Nach einer Stunde hatte ich genug und Mareike ging es ebenso. Wir setzten uns auf die gepolsterte Bank in der Mitte eines Saals und statt der

Gemälde betrachteten wir die Besucher und machten uns über sie lustig. Wenn wir zu laut wurden, kam eine der Frauen, die die Bilder bewachten, und forderte uns auf, ruhig zu sein. Unsere Gruppe von der Dramatischen Werkstatt war weitergegangen. Ich fragte Mareike, ob wir nicht rausgehen wollten. Es war nicht einfach, das richtige Treppenhaus zu finden. Wir verliefen uns und wären einmal fast auf unsere Gruppe gestoßen.

Ich war vorausgegangen, um nach dem Ausgang zu suchen, als mich Mareike zurückrief. Sie stand vor einem großen Ölbild mit einer halbnackten Frau, die sich von einer Dienerin die Haare kämmen ließ.

»Wie findest du denn das?« fragte sie.

Ich ging an das Bild heran, um das Schild zu lesen. Die Frau hieß Bathseba, und ich zeigte Mareike den König David mit der Krone, der im Hintergrund zu sehen war, aber sie wollte die Geschichte von den beiden nicht hören.

»Wie findest du die Frau?«

»Das ist gut gemalt«, sagte ich, »das Bild ist sicher unbezahlbar.«

»Gefällt sie dir?«

»Naja, ein bisschen dick für meinen Geschmack.«

»Und die Brüste?«

»Na ja. Sieh mal, der kleine Hund.«

»Ist das aufregend für dich, wenn du ihre Brüste siehst, Johnny?«

»Aufregend? Ich weiß nicht. Aber es gefällt mir gut.«

Mareike stellte sich vor dem Bild auf, hob ihren linken Arm, den rechten legte sie über den Bauch. Dann drehte sie den Kopf zur Seite, genauso wie die Frau auf dem Bild.

»Und wie gefalle ich dir?«

»Du bist viel schöner, aber ...«

»Aber was? Ich habe zu viel an, meinst du?«

Ich nickte, und Mareike lachte auf und lief in den

nachsten Saal hinein, sah sich kurz um und ging weiter. Ich folgte ihr langsam. Sie stand vor einem Bild mit einer völlig nackten Frau, der »Schlummernden Venus«, und betrachtete sie mit zusammengekniffenen Augen.

»Aber die Frau ist schön.«

»Ja, die gefällt mir besser.«

»Das kann ich mir denken, Johnny.«

»Sie hat einen Bauch, siehst du.«

»Jede Frau hat einen kleinen Bauch. Sieht doch gut aus.«

»Sie hat keine Haare. Ich meine, unter dem Arm hat sie keine Achselhaare.«

»Sie hat auch keine Schamhaare. Hast du das nicht gesehen?«

»Natürlich habe ich das gesehen. Hat sie sich die wegrasiert oder hat die noch keine?«

»Ich weiß nicht, ob die sich damals schon die Haare wegrasiert haben. Sieht doch gut aus. Irgendwie raffiniert. Oder findest du es mit Haaren besser, Johnny?«

»Ich weiß nicht.«

Ich dachte an Pille, an den kleinen rötlichen Pelz, von dem das Wasser abtropfte.

»Mit Haaren ist es auch schön«, sagte ich nachdrücklich. Und weil mich Mareike überrascht ansah, fügte ich hinzu: »Meinst du, die hat wirklich geschlafen, als der sie gemalt hat?«

»Jedenfalls tut sie so. Ich glaube nicht, dass ich dabei schlafen könnte. Ich meine, wenn ich mich so malen lassen würde.«

»Wenn du . . .? Würdest du dich so malen lassen?«

»Wenn es ein guter Maler ist, warum nicht?«

»Ich meine, so splitternackt, würdest du das tatsächlich tun?«

»Er dürfte mich natürlich nicht anfassen.«

»Aber wenn das Bild fertig ist und er es ausstellt, dann würden dich alle so sehen, Mareike.«

»Wäre das schlimm?«

»Ich weiß nicht. Also mir wäre das unangenehm. Dir nicht?«

»Ach, ich kann mich sehen lassen. Meinst du nicht, Johnny? Und außerdem sehen die doch nur mein Bild. Richtig nackt würde mich nur der Maler sehen, und der dürfte mich nicht berühren. Und wenn das Bild so schön wird wie das hier, werde ich berühmt.«

»Von welchem Maler würdest du dich denn malen lassen?«

»Ich weiß nicht. Es müsste schon ein besonders guter sein. Schade, dass du kein Maler bist.«

»Ich bin nicht schlecht im Malen. In Kunst hatte ich immer eine Eins.«

»Das könnte dir so passen, Johnny, dass ich mich vor dir ausziehe.«

»Das habe ich gar nicht gesagt.«

»Aber du hast daran gedacht, das merke ich doch. Das merkt eine Frau.«

»Ich habe nur gesagt, dass ich malen kann. Und das stimmt ja.«

»Ich weiß genau, was du willst. Aber das kannst du dir an die Backe kleben. Komm, wir gehen.«

Wir liefen hinaus und bummelten zur Elbe. Mareike sprach über die Frauen, die den Malern für Bathseba und die Venus Modell gesessen hatten. Sie überlegte, wie lange die Frauen nackt im Atelier hocken mussten. Ich sagte, sicher tagelang, und Mareike meinte, dann müsse der Maler aber gut geheizt haben. Sie zog meinen Kopf zu sich und gab mir einen langen Zungenkuss. Ich wollte ihre Brust streicheln, aber sie schlug mir auf die Finger und sagte, ich solle das sein lassen. Und dann küsste sie mich wieder und sagte, sie werde mir noch beibringen, wie man richtig küsst.

Etwas später lief ich zur Elbe runter, weil ich so erregt

war, dass ich fürchtete, meine Hose nass zu machen. Gerade als ich meine Hände in das Wasser hielt, kam Fräulein Kaczmarek mit einigen Schülern vorbei. Wenn sie fünf Minuten früher gekommen wären, hätten sie gesehen, wie wir uns küssten, und das hätten sie bestimmt überall rumerzählt.

Während des Mittagessens gab es eine Solidaritätssammlung für irgendein Land oder für einen Befreiungskrieg. Ich glaube, es war für Korea, ich hatte nicht zugehört, weil ich mich mit dem Jungen neben mir über das Fußballspiel unterhalten hatte. Zwei Mädchen gingen mit Blechbüchsen die Tische ab. Sie sammelten zuerst bei den Lehrern, die jeder einen Geldschein in die Büchse hineinstopften. Sie machten das so auffällig, dass jeder sehen konnte, wieviel sie gaben. Einige Schüler steckten Münzen hinein, aber die meisten sagten, dass sie ihr Portemonnaie nicht bei sich hätten. Das sagte ich auch, als Mareikes Freundin mit der Büchse zu mir kam. Ich bekam so wenig Taschengeld daheim, ich konnte davon nichts abgeben.

Nach dem Mittagessen ging ich auf mein Zimmer. Die beiden anderen Jungen, mit denen ich zusammenwohnte, fragten mich, ob ich mit ihnen in die Stadt fahre, aber ich wollte mit Mareike spazieren gehen, und zuvor musste ich noch ein paar Karten nach Hause schreiben, die ich in der Gemäldegalerie gekauft hatte. Die nackten Frauen hatte ich nicht ausgesucht, solche Bilder wollte ich nicht an meine Eltern und an Tante Magdalena schicken. Ich fürchtete zudem, die Frau am Verkaufsstand würde eine dumme Bemerkung machen.

Ich schrieb noch, als es an die Tür klopfte. Mareike hatte die blecherne Sammelbüchse bei sich und sagte, dass sie ihrer Freundin helfe. Weil sie es war, wollte ich nicht nein sagen und steckte drei Groschen hinein. Dann fragte ich sie, ob wir uns im Park treffen wollten.

Ich glaubte, Mareike wolle schnell aus dem Zimmer verschwinden, weil sie noch Geld sammeln musste und weil die Hausordnung Besuche in den Zimmern des anderen Stockwerks verbot, doch sie setzte sich auf mein Bett und sagte, ich solle nur ruhig weiterschreiben, sie würde auf mich warten. Ich kaute auf dem Füller herum, ich wusste nicht, was ich schreiben sollte, und seit Mareike bei mir war, fiel mir schon gar nichts ein. Schließlich schob ich die Karten zurück und setzte mich neben Mareike auf mein Bett. Sie sprach darüber, wieviel Geld sie schon gesammelt hatte, und ich fasste ihre Hand und dachte an die schlafende Venus. Dann redete sie wieder über die Tanzausbildung und ihre Ballettlehrerin. Sie erzählte von ihrem Kostüm und dass sie jeden Tag zu Hause auf dem Dachboden trainiere. Ich küsste sie, aber sie redete weiter. Sie ließ sich nur kurz unterbrechen, wenn ich meine Lippen auf ihren Mund presste, und anschließend sprach sie ihren Satz zu Ende. Ich hörte ihr nicht richtig zu, weil mich Ballett nicht so sehr interessierte und weil ich damit beschäftigt war, sie zu küssen und an die Venus zu denken, aber plötzlich wurde ich aufmerksam und setzte mich kerzengerade hin.

»Was machst du dort? Was hast du gesagt?«

»Manchmal tanze ich auf dem Dachboden völlig nackt. Wenn ich allein in der Wohnung bin, versperre ich die Bodentür, dann stelle ich Papas Tonbandgerät ganz laut und tanze völlig nackt über den Dachboden. Ich ziehe nicht einmal die Ballettschuhe an. Das ist, als ob ich schwebe. Ich bin leicht und fliege zur Musik über den Fußboden. Das ist wie ein Rausch, das ist so schön, das kann ich dir gar nicht beschreiben.«

»Und warum bist du nackig?«

»Warum, warum. Weil das schön ist. Ich bin vollkommen frei. Bist du nicht gern nackt?«

Ich hatte noch nie darüber nachgedacht. Bei uns zu

Hause war man nie allein. Und wenn einem von uns eingefallen wäre, nackt durch die Wohnung zu laufen, hätte er sicher von Mutter ein paar hinter die Ohren bekommen. Aber das wollte ich Mareike nicht sagen.

»Schade nur, dass ich auf dem Dachboden keinen Spiegel habe wie im Ballettsaal. Später richte ich mir ein großes Zimmer mit Stange und einem Spiegel ein, der über eine ganze Wand geht.«

»Hat dich dort jemand gesehen?«

»Wo?«

»Auf dem Dachboden.«

»Manchmal schaut Papa zu, und ab und zu nehme ich eine Freundin mit hoch.«

»Und dann tanzt du nackig?«

»Nein. Nackt tanze ich nur, wenn ich völlig allein bin. Nur für mich.«

Sie streckte ihre Beine weit von sich und räkelte sich auf dem Bett.

»Du würdest mich wohl dort gern sehen, Johnny?«

»Ich würde gern sehen, wie du tanzen kannst.«

»Du glaubst mir wohl nicht?«

Sie stand auf und ging durch das Zimmer. Dann drehte sie sich auf einem Fuß, hob das andere Bein hoch, die Hände hielt sie weit von sich gestreckt. Den Kopf geneigt, blieb sie für Sekunden bewegungslos stehen. Sie lief drei Schritte und sprang, ihre Füße schlugen in der Luft zweimal rasch aneinander. Nach dem Sprung musste sie sich an der Wand abstützen, das Zimmer war zu klein. Sie verzog ärgerlich ihr Gesicht und sah mich erwartungsvoll an.

»Sehr gut«, sagte ich und applaudierte ihr.

»Nein, hier kann ich nicht tanzen, das ist zu eng«, sagte sie unzufrieden, »ich habe auch nicht die richtigen Schuhe. Und mit diesem Kleid geht das nicht. Ich brauche mein Trikot und mindestens zehn Meter Platz.«

»Es war sehr gut«, wiederholte ich, »du wirst sicher eine berühmte Tänzerin.«

»Papa sagt das auch.«

»Tanzt du noch etwas?«

»Hier? In diesem engen Zimmer? Da kann ich mir ja alle Knochen brechen.«

»Nur noch ein bisschen, Mareike. Und wenn dich das Kleid dabei stört, das Kleid kannst du ja ausziehen. Ich meine nur, wenn es dich beim Tanzen stört.«

Sie sah mich an, und ich sagte nichts. Ich spürte, dass ich rot wurde. Sie kam langsam zu mir, setzte sich neben mich aufs Bett und legte ihren Kopf auf meine Schulter.

»Ich soll mich ausziehen, Johnny?« flüsterte sie.

»Ich meine nur, weil das Kleid dich beim Tanzen stört.«

»Ich soll hier so tanzen wie auf dem Dachboden, Johnny?«

»Ich dachte nur, weil es dir mehr Spaß macht.«

»Ich weiß, was du willst.«

»Nein, nein, ich habe dabei nur an dich gedacht.«

»Das kann ich mir vorstellen. Und wenn die anderen zurückkommen?«

»Die kommen erst am Abend. Die sind in der Stadt.«

»Trotzdem. Hier kann irgendjemand reinplatzen.«

»Ich schließe die Tür ab. Du brauchst keine Sorge zu haben, Mareike.«

»Ich weiß nicht. Nackt habe ich immer nur für mich getanzt. Nur wenn ich allein bin.«

»Aber du sagst doch, es ist für dich viel schöner.«

»Ich weiß schon, was ich gesagt habe. Aber vollkommen ausziehen, das mache ich nicht. Nur so, dass ich mich richtig bewegen kann. Aber dann schließ die Tür ab.«

Ich sprang rasch vom Bett herunter. Ich drehte den Schlüssel so herum, dass niemand durch das Schlüsselloch blicken konnte, und hängte noch ein Handtuch über die Klinke.

Mareike rührte sich nicht. Ich setzte mich neben sie und wartete. Ich wollte ihr Zeit lassen.

»Aber du musst dich auch ausziehen.«

»Ich? Warum denn?«

»Weil ich mich nicht alleine ausziehen will, darum.«

»Wenn es dir lieber ist.«

»Ja. Und du gehst da rüber auf den Stuhl. Und Anfassen gibt es nicht, ist das klar?«

Ich nickte, dann stand ich auf und ging zum Stuhl hinüber. Ohne sie anzusehen, zog ich meine Jacke und das Hemd aus. Ich war so aufgeregt, dass sich die Knoten der Schuhbänder immer fester zogen und ich eine Ewigkeit an ihnen herumzuckelte. Als ich die Schuhe und Socken endlich ausgezogen hatte, saß Mareike bereits in Schlüpfer und Hemd auf dem Bett, die Beine hatte sie angezogen und ihre Arme darum verschränkt. Ich zerrte die Hosen herunter und behielt sie in der Hand, ich hatte nur noch meine Unterhose an.

»Jetzt bin ich wohl wieder dran«, sagte sie und zog ihr Hemd über den Kopf. Dann nestelte sie mit beiden Händen hinterm Rücken am Verschluss ihres Büstenhalters. Doch bevor sie ihn abnahm, sah sie mich trotzig an und sagte: »Den Schlüpfer ziehe ich aber nicht aus.«

Mein Mund war trocken. Ich nickte und war erleichtert, weil ich meine Unterhose eigentlich auch nicht ausziehen wollte. Sie nahm den Büstenhalter ab und verschränkte die Arme vor der Brust. Wir lächelten uns verlegen an.

»Ohne Musik ist das blöd. Ohne Musik kann man nicht tanzen.«

»Die Musik können wir uns denken«, sagte ich.

»Und außerdem ist es hier viel zu kalt.«

Es war tatsächlich kühl im Zimmer und ich hielt die

Arme fest an meinen Körper gedrückt. Ich fürchtete, sie würde nicht tanzen und sich statt dessen wieder anziehen. Wir saßen eine Zeit lang schweigend da, sie zusammengekauert auf meinem Bett und ich fröstelnd auf dem Stuhl. Endlich stand sie auf, die Arme auch jetzt noch vor der Brust verschränkt. Sie machte ein paar tänzelnde Schritte und drehte sich. Dann blieb sie stehen, mit dem Rücken zu mir. Ich betrachtete sie, ohne mich zu rühren. Sie trug ein weißes Höschen, diesmal mit einer blauen Spitzenborte. Ich merkte, dass ich viel zu laut atmete, und versuchte mich zu beruhigen. Ich hätte sie gern gestreichelt, aber ich wagte nicht, mich zu rühren. Plötzlich ließ sie die Arme fallen. Sie hob den Kopf zeremoniell und begann zu tanzen. Sie lief durch das Zimmer, sprang hoch, drehte sich, kauerte sich auf dem Fußboden zusammen und schraubte sich mit weichen, harmonischen Bewegungen hoch. Ihren Kopf hielt sie leicht geneigt, sie sah auf ihre Arme oder das abgespreizte Bein, und wenn sie sich streckte, sah sie zur Zimmerdecke hinauf. Ich saß atemlos auf dem Stuhl und bewegte mich nicht. Ich starrte nur immerzu auf ihre Brüste. Sie waren viel kleiner als die Brüste der Frauen im Museum. Wenn Mareike lief und sprang, hüpften sie vor ihr auf und ab, und ich musste schlucken. Ihre Brustwarzen waren hellrot und sie stachen ganz spitz hervor. Mein Gott, wie schön sie ist, dachte ich, sie ist noch schöner als Pille. Ich starrte sie unentwegt an, ihre Brüste und ihren Schlüpfer, bei dem sich das schwarze Haardreieck beim Laufen und Springen abzeichnete. Unvermittelt blieb sie stehen, verschränkte hastig die Arme über der Brust und setzte sich auf mein Bett, die Beine hochgezogen und an den Körper gepresst. Sie hielt die Augen geschlossen und lächelte schwer atmend. Dann sah sie mich neugierig an.

»Hat es dir gefallen, Johnny?«

Ich nickte und räusperte mich.

»Glaubst du mir nun, dass ich Ballettänzerin werde?«

»Ja. Es war schön. Du bist toll, Mareike. Das war richtige Kunst.«

»Ich denke auch, dass ich nicht schlecht bin.«

»Tanzt du noch einmal?«

»Ach, ohne Musik ist das nichts. Weißt du, man hebt nicht ab. Man wird einfach nicht getragen. Ohne Musik, das ist, als ob du am Boden festklebst.«

»Nur noch einmal.«

»Ist dir denn nicht kalt, Johnny? Wenn ich hier so sitze, friere ich mir den Arsch ab.«

»Nur noch einmal, Mareike.«

»Aber du musst auf dem Stuhl sitzen bleiben, das musst du mir versprechen.«

»Ja, versprochen. Ehrenwort.«

Ich zögerte einen Moment, dann sagte ich: »Mareike?«

»Was ist denn?«

»Sag mal...«

»Was hast du denn?«

»Zieh doch die dumme Unterhose aus. Das sieht irgendwie blöd aus. Das stört.«

»Ich soll den Schlüpfer ausziehen?«

Ich nickte.

»Der stört dich? Mich stört er nicht.«

»Es sieht nur blöde aus. Der Schlüpfer ist irgendwie nicht so schön.«

»Dann zieh erst mal deinen aus, Johnny.«

Sie grinste mich an, und ich war unschlüssig. Aber dann hob ich den Hintern von der Stuhlfläche und versuchte, mir die Unterhose herunterzuziehen. Eine Hand hielt ich schützend über mein steifes, schmerzendes Glied. Ich sah dabei Mareike in die Augen, die belustigt zusah. In diesem Moment wurde die Türklinke heruntergedrückt, es knackte heftig. Wir erstarrten, und Mareike flüsterte: »Wer ist das?«

Ich zuckte mit den Schultern. Wir bemühten uns, keine Geräusche zu machen.

»Mach endlich auf«, ertönte Stefans Stimme, »ich weiß doch, dass du da drin bist, Daniel.«

»Einen Moment«, rief ich und zog mir das Hemd über den Kopf und versuchte mit zitternden Fingern eilig, die Knöpfe zu schließen. Stefan schlug gegen die Tür, und ich rief erneut, dass es nur einen Moment dauern würde. Ich stand an der Tür und wartete, bis Mareike die Schuhe zugebunden hatte und mit ihren Haaren fertig war. Den Büstenhalter hatte sie in der Eile in ihrer Jacke verstaut.

»Was ist denn los? Warum schließt ihr euch denn ein?«

»Was soll denn los sein? Wir haben uns unterhalten. Da muss ja nicht jeder Idiot hier hereinstürzen.«

Stefan sah Mareike an, dann das zerwühlte Bett. Als er bemerkte, dass meine Schuhe nicht zugebunden waren, grinste er.

»Und was macht ihr hier?«

»Ich kam nur mit der Sammelbüchse vorbei«, sagte Mareike, »ich wollte eben gehen.«

Sie hielt ihm die Blechbüchse hin und fragte: »Gibst du was?«

»Ich habe kein Geld«, sagte Stefan. Er grinste noch unverschämter.

»Ich muss jetzt gehen.«

»Von mir aus kannst du bleiben. Lasst euch von mir nicht stören, ihr zwei Turteltauben.«

Nachdem Mareike gegangen war, setzte er sich vor mich hin. Ich band meine Schuhe langsam zu, und er forderte mich auf zu erzählen: »Na, sag schon, was habt ihr gemacht?«

»Nichts. Wir haben uns unterhalten.«

»Dazu musstet ihr das Zimmer abschließen? Muss ja ne tolle Unterhaltung gewesen sein.«

»War es auch.«

»Kann ich mir vorstellen. Wenn dir sogar die Schnürsenkel dabei aufgegangen sind.«

Ich legte mich aufs Bett und tat, als würde ich in einem Buch lesen.

Am Abend hatte Stefan es überall herumerzählt, und Mareike weinte, weil ihre Freundinnen sie beleidigt hatten. Ich wollte sie trösten, doch sie wollte mir nicht erzählen, was ihre Freundinnen gesagt hatten. Sie wollte nicht einmal mit mir sprechen. Im Speisesaal wurde getanzt, es gab Musik, und einige Schüler hatten Wodkaflaschen ins Heim geschmuggelt und gossen sich heimlich Schnaps in die Brause. Ich trank nicht mit und ich tanzte auch nicht. Mareike und ich haben nicht ein einziges Mal zusammen getanzt.

Am nächsten Vormittag rief mich Fräulein Kaczmarek zu sich und wollte wissen, was im Zimmer vorgefallen sei. Ich sagte ihr, was ich Stefan gesagt hatte, und sie fragte, ob wir die Hausordnung nicht kennen würden. Die Hausordnung sei nicht willkürlich festgelegt worden, sondern habe einen tiefen Sinn, nämlich uns vor uns selber zu beschützen. Sie wollte wissen, ob ich das begreife. Sie wiederholte die Frage dreimal, bis ich ihr sagte, ich würde es verstehen. Später auf der Probe sagte sie, ich sei für die Hauptrolle noch nicht reif genug, und ich musste einen Bauern spielen, der nur vier Sätze zu sagen hatte. Aber das war mir egal.

Mareike wollte nicht mehr mit mir zusammen sein. Als wir nach Hause fuhren, gab ich ihr meine Adresse. Sie versprach, mir zu schreiben.

Am ersten Schultag nach den Herbstferien bekam ich einen Tadel wegen ungebührlichem Betragen während der Dramatischen Werkstatt. Vater wollte wissen, was ich in Dresden angestellt hätte, und ich sagte ihm, dass ich mich mit einem Mädchen unterhalten habe. Ein anderer Junge habe behauptet, ich hätte sie geküsst, was aber eine Lüge sei.

Vater lachte und sagte: »Bleib du nur bei der Wahrheit, Junge, damit kommt man in der Welt immer zurecht.«

Ich nickte, und er unterschrieb den Eintrag von Fräulein Kaczmarek.

Als Tante Magdalena sich nach den Aufführungen in Dresden erkundigte, sagte ich ihr, dass ich nicht Schauspieler werden und nicht mehr im Schülertheater mitmachen wolle.

»Hat dich jemand geärgert?« fragte sie.

»Nein.«

»Oder hast du Liebeskummer?«

»Wie kommst du denn darauf?« fragte ich.

»Ich dachte nur. Aber das wirst du deiner alten Tante wohl nicht auf die Nase binden wollen. Sag also lieber nichts, dann musst du nicht lügen.«

»Ich lüge nicht.«

»Dann ist es ja gut. Man soll nie lügen. Oder nur, wenn es nicht anders geht. Die Welt will betrogen sein, mein Junge. Anderenfalls hätten wir nicht den Krieg und auch nicht die Zeit nach dem Krieg überlebt. Aber sag das bloß nicht deinem Vater, du weißt ja, er ist fast ein Heiliger.«

Ich nickte und sagte dann für mich selbst überraschend: »Sie will Tänzerin werden.«

Tante Magdalena sah mich verblüfft an. Sie schüttelte nachdenklich ihren Kopf. »Das ist beneidenswert. Da sieht sie was von der Welt. Und sie ist sicher eine Schönheit?«

Ich nickte.

»Und habt ihr beiden Hübschen euch geküsst?«

Ich wollte Tante Magdalena nicht belügen, aber ich konnte ihr nicht etwas anderes sagen als Vater. Schließlich sagte ich zu ihr: »Ich möchte darüber nicht sprechen.«

Vor Verwunderung bekam Tante Magdalena richtig

runde Augen. Dann nickte sie und sagte: »Du hast Recht, man muss auch ein Geheimnis hüten können. Ich zum Beispiel träume mein Leben lang von einem schwarzen Samtkleid, das bis zu den Schuhen reicht. Einmal hätte ich es mir fast anfertigen lassen. Ich hatte mir bei der Schneiderin schon den Stoff ausgesucht, und sie hatte bereits Maß genommen, da fragte sie mich, wofür ich es haben will. Ich habe einen Moment nachgedacht und dann darauf verzichtet. Aber wünschen tue ich es mir noch immer.«

»Und warum?«

»Ich wünsche es mir eben. So ist das. Schwarzer Samt bis auf die Erde und ganz lange Ärmel. Und einmal in meinem Leben möchte ich mit dem Schiff nach England fahren.«

»Nach London?«

»Nein, nur bis an die Küste heran und dann gleich wieder zurück. Ich will nur einmal dort über das Wasser fahren. Das wünsche ich mir. Doch darüber rede ich mit keinem. Nur mit dir.«

»Warum willst du dorthin fahren?«

»Das ist ein Geheimnis, verstehst du.«

Und dann fragte sie mich: »Wollen wir eine Partie ›Krieg zur See‹ spielen? Oder bist du dafür schon zu groß?«

»Krieg zur See« ist wirklich ein Spiel für Kinder, aber Tante Magdalena zuliebe spielte ich mit ihr. Während wir würfelten und die Figuren setzten, fragte ich mich, ob Tante Magdalena auch einmal für ihren Verlobten getanzt hatte, so wie Mareike für mich. Wahrscheinlich nicht, sagte ich mir, damals haben die Leute an so etwas wohl nicht einmal gedacht. Ich wollte Tante Magdalena gewinnen lassen, um ihr eine Freude zu machen, aber während des Spiels vergaß ich meinen Vorsatz und gewann haushoch.

Von Mareike bekam ich nie einen Brief, obwohl ich ihr dreimal schrieb.

GLACE SURPRISE

Am Sonntagvormittag gab es Fußball, und es gab den Gottesdienst. Das Fußballspiel begann um halb zehn auf dem Sportplatz hinter dem Kurhaus, der Gottesdienst begann ebenso pünktlich in der Marienkirche um zehn Uhr. Man konnte also nicht am selben Sonntag das Fußballspiel und den Gottesdienst besuchen. Die meisten Jungen aus meiner Klasse gingen sonntags auf den Sportplatz. Zwei oder drei von ihnen ließen sich gelegentlich in der Kirche sehen, wenn es wichtige familiäre Ereignisse wie eine Hochzeit oder eine Taufe gab, die mit einem Kirchenbesuch verbunden waren. Doch nur zwei Jungen erschienen jeden Sonntag in der Kirche und gingen nie auf den Sportplatz, selbst dann nicht, wenn unsere in der Kreisliga spielende Mannschaft gegen einen besonders gefürchteten Gegner antreten musste. Sie besuchten den Gottesdienst, obgleich sie sehr viel lieber neben ihren Freunden an der Holzbrüstung gelehnt hätten, um die eigene Mannschaft anzufeuern oder mit sachkundigen Kommentaren zu glänzen. Es waren mein Bruder David und ich.

Mein Vater ging jeden Sonntag in die Kirche, aber das war weniger verwunderlich, das war sein Beruf, er hatte schließlich auf der Kanzel zu stehen und zu predigen. Selbst der Kantor, der die Orgel spielte, war nicht so wichtig. Wenn der mal wegen einer Krankheit oder wegen Urlaub ausfiel, stimmte mein Vater mit besonders lauter Stimme die Lieder an und sang unüberhörbar alle Strophen a cappella, unterstützt von einigen älteren Damen des Frauenkreises vom Donnerstagabend. Die restlichen Kirchenbesucher hielten sich beim Singen zurück, sei es, weil ihnen der Text der auf Holztafeln angezeigten Lieder nicht bekannt war und sie ihr Gesangbuch oder die Brille vergessen hatten oder weil ihnen lautes Singen unangenehm war.

Am Sonntagvormittag hatten wir in der Kirche zu sitzen, so wie wir die Woche über jeden Morgen in die Schule gehen mussten. Nach dem Präludium kam Vater aus der Sakristeitür, in den schwarzen Talar gehüllt, am Hals das weiße, gestärkte Beffchen und auf dem Kopf das für mich besonders lächerliche schwarzseidene Barett, das er vor dem Altar mit zeremonieller Handbewegung abnahm und neben die auf einem Holzpult aufgeschlagene Bibel in der Mitte des Altars ablegte, bevor er niederkniete und still betete. Erst danach begrüßte er die versammelte, schweigende Gemeinde. Während das erste der angeschlagenen Lieder gesungen wurde und Vater sich mit kräftiger Stimme bemühte, den schleppenden Gesang der Kirchgänger anzufeuern, ließ er seine Augen über das Kirchengestühl und die Empore gleiten, um die Anwesenheit seiner Kinder zu überprüfen und ihren Gesangseifer, so dass wir unter seinem schweifenden Blick andächtige Aufmerksamkeit bekundeten und zumindest den Mund folgsam öffneten.

Der Sonntagmorgen war für mich verloren, er war so unerfreulich und bedrückend wie die Vormittage in der Schule. Er war für mich sogar ärgerlicher, da der Schulbesuch ein allgemeines Missvergnügen war, ein Schicksalsschlag, dem sich keiner meiner Freunde und Altersgenossen entziehen konnte, der Kirchgang aber für keinen der anderen Schüler eine Pflicht war, bis auf eine streng katholische Mitschülerin, die dauernd die Messe in ihrer Kirche besuchte. Nur zu Weihnachten, wenn die Kirche so überfüllt war, dass viele Besucher stehen mussten, kamen Reinhard und Sebastian und ein paar andere Schüler aus meiner Klasse mit ihren Eltern, um die Weihnachtspredigt zu hören und sich das Krippenspiel anzusehen.

Für mich aber, für mich und meine Geschwister, verlief jeder Sonntagvormittag völlig gleich. Nach dem Frühstück ging Vater in sein Arbeitszimmer, um noch einmal die Predigt durchzugehen und um sich innerlich zu sammeln, wie er sagte. Wir mussten den Tisch abdecken und den Abwasch erledigen, während Mutter sich schon um das Mittagessen kümmerte. Zwanzig Minuten vor zehn verließ Vater, den Talar und das Barett über dem Arm, die Wohnung, und wir bereiteten uns mit meiner Mutter auf den Kirchgang vor. Bevor wir gemeinsam die Wohnung verließen, kontrollierte Mutter unser Aussehen und kämmte uns noch rasch.

Mein eigentlicher Sonntag begann erst am Nachmittag, wenn das Essen und der Mittagsabwasch vorbei waren und wir endlich tun und lassen konnten, was wir wollten. Ab und zu durften wir ins Kino gehen, es sei denn, es war die Karwoche, in der auch das verboten war. Zweimal im Jahr war für vierzehn Tage auf dem Anger Rummel, es gab ein Extra-Taschengeld und wir verbrachten die Sonntagnachmittage dort. Häufig war ich in der Gaststätte von Pichler, weil dort an den Sonntagen die Kegelbahn für angereiste Gesellschaften geöffnet war und ich mich mit einem anderen Jungen als Kegelaufsteller ablöste, um ein paar Groschen zu verdienen. Herr Pichler hatte es mir erlaubt, weil er zur Kirchengemeinde gehörte und meinen Vater schätzte.

An jedem ersten Sonntag im Monat ging ich mit Sebastian, den ich aus der Jungen Gemeinde kannte und der bereits Lehrling war, in das Fotolabor der Maschinenfabrik. Sebastian gehörte dem Fotozirkel an und hatte die Erlaubnis, an den arbeitsfreien Tagen im Labor zu arbeiten, da er für den Lehrlingsausbilder Kopien des Unterrichtsmaterials anzufertigen hatte. Wenn die Blätter für den Ausbilder fertig gestellt waren, fotografierten wir die Bilder von Filmschauspielern, Schlagersängern und Busenstars aus westlichen Zeitungen. Manchmal hatten wir auch Aktfotos zum Vervielfältigen, aber das war sehr selten, da wir Schwierigkeiten hatten, solche Zeitschriften für ein paar Stunden in die Hand zu bekommen. Von den Negativen stellten wir serienweise Vergrößerungen her und am Abend verließen wir die Fabrik mit dick gefüllten Pappkartons. Wenn Sebastian in die Berufsschule fuhr, verkaufte er die Fotos während der Fahrt in der Eisenbahn an Freunde und Mitschüler. Da wir das Fotopapier aus dem Labor der Fabrik benutzten, konnte er sehr preiswert verkaufen, was ihm einen sich ständig vergrößernden und treuen Kundenstamm sicherte. An den Einnahmen beteiligte er mich. Ich war nicht sicher, ob er die Bilder tatsächlich so billig verkaufte, wie er mir sagte, oder ob er nicht doch ein paar Pfennige mehr verlangte, aber da ich keine Möglichkeit hatte, es zu überprüfen und nur er uns den Zugang zum Labor seines Betriebes ermöglichen konnte, der uns nichts ahnend und ungewollt die teuren Fotomaterialien zur Verfügung stellte, gab ich mich mit dem zufrieden, was mir Sebastian vom Verkaufserlös auszahlte.

Aber all das war erst am Sonntagnachmittag für mich möglich. Wenn sich meine Freunde am Montag über das Fußballspiel unterhielten, gab es ab und zu mir gegenüber eine spitze Bemerkung, sie fragten, ob ich laut genug gesungen und gebetet hätte, aber wenn ihr Spott mich auch verlegen machte, so wusste ich dennoch, dass er nicht bösartig war. Die Klassenkameraden verstanden, dass ich keine Möglichkeit hatte, mich dem Kirchgang zu entziehen, und bedauerten mich.

Selbst während der Ferien mussten wir in die Kirche,

sogar wenn wir einmal, was sehr selten vorkam, verreisten. Vater hatte dann eine Kurpredigerstelle angenommen, um die Kosten der Reise zu verringern. Wir fuhren im Auto in eins der Ostseekurbäder, das Gepäck wurde mit der Bahn vorausgeschickt, da das Auto bereits mit den Familienmitgliedern überladen war. Wohnen konnten wir im Pfarrhaus des ortsansässigen Pfarrers, mit dem Vater die Urlaubsvertretung abgesprochen hatte, und von ihm bekamen wir unsere Zimmer zugewiesen, in die man zusätzliche Betten gestellt hatte. Vater hatte in der Zeit als Kurprediger den Gottesdienst zu halten und alle unaufschiebbaren Pflichten seines abgereisten Kollegen zu übernehmen. Jeden Vormittag saß er zwei Stunden in der Amtsstube, um sich für Gespräche mit Einheimischen und den Kur- und Sommergästen bereitzuhalten. Am Sonntag predigte er, und wir Kinder mussten mitten in den Sommerferien und trotz Ostseestrand und Badewetter in der Dorfkirche sitzen, ihm zuhören und mitsingen. Nur als wir noch nach Holzwedel fuhren, zu den Großeltern, gehörte der Sonntagvormittag uns. Dort kam zwar alle vier Wochen ein Prediger aus einer benachbarten Gemeinde aufs Gut und hielt in der großen Gutsküche, die von Großmutter und ihren Küchenmädchen festlich hergerichtet war, eine merkwürdig verkürzte Andacht mit anschließendem Abendmahl, aber diese wunderliche Veranstaltung, an der die Großeltern, einige Frauen vom Gut, ein paar Landarbeiter und wir Kinder teilnahmen, war ein aufregendes Ereignis in der Ferienzeit, so ungewöhnlich wie die Dreschtage oder das Beschlagen der Pferde.

Ich erinnere mich nur an einen einzigen Sonntag, an dem ich, obwohl ich mit Vater zusammen war, den Vormittag nicht in der Kirche verbringen musste.

David war Mitte August nach Westberlin umgezogen, weil ihm die Kreisschulbehörde trotz seiner sehr guten

schulischen Leistungen nicht erlaubte, auf die Oberschule zu gehen. Vater hatte sich beschwert und viele
Briefe deswegen geschrieben, aber die Behörde blieb bei
der getroffenen Entscheidung und beharrte auf der aus
ihrer Sicht begründeten Vermutung, dass David wohl das
Bildungsziel einer sozialistischen Oberschule erreichen
könnte, aber keineswegs gewährleistet wäre, dass er
auch zu ihrem Erziehungsziel gelangen würde. Im Juni,
noch bevor mein Bruder alle Abschlussprüfungen be-
standen hatte, fuhr mein Vater mit ihm für einen Tag
nach Berlin. Sie kehrten erst spätnachts zurück. Ich wurde
wach, als mein Bruder in unser Zimmer kam und das
Licht anschaltete. Ich sah ihn erwartungsvoll an, aber er
zog schweigend den Schlafanzug an, legte sich ins Bett
und knipste das Licht aus. Im dunklen Zimmer wartete
ich darauf, dass er endlich zu erzählen begänne, aber er
schien tatsächlich einfach einschlafen zu wollen. Schließlich fragte ich: »Wart ihr auch in Westberlin?«

»Ja. Selbstverständlich.«

»Erzähl mal.«

»Lass mich schlafen, ich bin müde.«

»Und gehst du dort in die Schule?«

»Ab September.«

»Ganz allein?«

»Ja, natürlich allein.«

»Und wo wohnst du? Bei Onkel Walter?«

»Nein. In einem Schülerheim. Das ist eine Villa im
Grunewald. Eine richtige Villa. Da gibt es eine riesige
Diele mit einem Billardtisch.«

»Hast du die Villa gesehen?«

»Ich habe sogar schon mein Zimmer gesehen. Schlaf
jetzt endlich.«

»Und was sagt Vater dazu? Erlaubt der das?«

»Der hat mir doch dabei geholfen, du Idiot. Und nun
halt die Klappe.«

Mein Bruder war bald eingeschlafen, aber ich musste immerzu daran denken, dass er nach Westberlin verschwinden würde. Ich beneidete ihn und hoffte, dass die Schulbehörde bei mir genauso entscheiden würde und ich in zwei Jahren auch auf ein Gymnasium in Westberlin gehen durfte. Ich hatte zwar Angst vor dem Heimweh, aber ich sagte mir, dass ich dann zwei Jahre älter und schließlich nicht ganz allein dort wäre, da David im selben Schülerheim wohnen würde. Ich könnte unsere langweilige Kleinstadt endlich verlassen und in einer aufregenden Großstadt leben, in einer Großstadt, über die ich zu Hause und auf dem Schulhof die erstaunlichsten Geschichten gehört hatte. Einige unserer Lehrer sprachen manchmal über Westberlin. Allerdings redeten sie nur über Politik und die Gefahr, die von dieser Stadt ausging, weil es eine Frontstadt war, und nicht von dem, was es dort zu sehen und zu kaufen gab.

Meine Eltern brachten David im August nach Berlin. Ich hatte darum gebeten, mitfahren zu dürfen, Vater erlaubte es nicht. Einer sollte bei Dorle und den beiden Kleinen bleiben. Schließlich sei es keine Vergnügungsfahrt. Am Abend kamen Vater und Mutter mit dem Baby zurück, David war in Westberlin geblieben. Mutter weinte etwas und packte die Geschenke aus, die sie uns in Westberlin gekauft hatte, Süßigkeiten, Hemden und Pullover. Sie erzählte uns, dass sie ein Eis gegessen hatte, das vollständig mit einer dünnen Schicht Schokolade umgeben war. Noch nie im Leben habe sie so ein köstliches Eis gegessen.

Manchmal machten wir selber Eis. Tante Magdalena brachte uns ihren Eiskübel, einen Holzbottich, in dessen Mitte sich ein Aluminiumtopf befand mit einer Kurbel. In den Aluminiumtopf kam die Eismasse, ein zuvor gekochter puddingähnlicher Brei mit vielen Eiern und Sahne. Um den Topf herum wurde zerkleinertes künstliches Eis geschüttet, so dass der Bottich bis an den Rand damit gefüllt und der Aluminiumeinsatz nicht mehr zu sehen war. Tante Magdalena streute Viehsalz über das Eis und verschloss den Deckel mit Metallklammern. Nur die Kurbel ragte heraus und musste nun fortwährend gedreht werden. Es dauerte Stunden, bis die weiche Masse durch das Eis so gekühlt war, dass sie erstarrte. Selbstgemachtes Eis war eine Delikatesse und schmeckte viel besser als das Wassereis, das man zu kaufen bekam. Aber es wurde nur bei großen Familienfesten gemacht, da es schwierig war, die Sahne zu bekommen, und das künstliche Eis aus dem Eiskeller der Kreisstadt besorgt werden musste. Tante Magdalena verlangte, dass nur frische Früchte verwendet wurden, da eingewecktes Obst zu farblos sei und zu wenig Geschmack gebe. Doch wie man die fertigen Eisportionen mit Schokolade überziehen konnte, das war für Mutter und auch für Tante Magdalena ein Rätsel.

Ich fragte Vater noch am gleichen Abend, ob auch ich auf das Westberliner Gymnasium gehen dürfe. Vater versprach es mir, falls meine Noten in der achten Klasse noch so gut wären.

Im Oktober kündigte Vater an, dass am ersten Sonntag im November die ganze Familie David in Westberlin besuchen werde. Meine Geschwister jubelten lauthals, ich bemühte mich, gelassen zu wirken. Vater lächelte Mutter an und fügte hinzu: »Ich habe mir diesen Sonntag freigenommen. Amtsbruder Pietsch wird mich in der Marienkirche vertreten. Es wird also für euch ein Sonntag ohne Gottesdienst werden. Ich hoffe, ihr seid darüber nicht allzu unglücklich.«

Dorle fragte, ob wir auch ein so gutes Eis bekommen würden, und Mutter versprach es ihr.

An jenem außerordentlichen Sonntag wurden wir um fünf geweckt. Vater und Mutter waren bereits fertig angezogen, und das Frühstück stand auf dem Tisch. Unsere Sachen hatte uns Mutter am Abend zuvor auf die Stühle neben den Betten gelegt, die guten Sachen. Es waren gestrickte Hosen und Jacken mit aufgesetzten herzförmigen Taschen für mich und die beiden Kleinen und ein gleichfarbiges Strickkleid für Dorle. Das Schlimmste aber waren die Kniestrümpfe aus weißem Garn. An den Sonntagen mussten sie noch über die langen braunen Strümpfe, die mit Gummibändern am Leibchen zu befestigen waren, angezogen werden. Man konnte sich anstrengen, soviel man wollte, sie ließen sich nicht über die Ferse zerren. Außerdem saßen sie so straff, dass man abends, nach dem Ausziehen, noch stundenlang das Strumpfmuster auf der nackten Haut sehen konnte. Die Stricksachen hatte Frau Happe für uns angefertigt, eine Näherin, die bei sich daheim die Wäsche ihrer Kundschaft ausbesserte und Hemden bügelte und für Mutter besonders preiswert arbeitete, da sie ein eifriges Mitglied der Kirchengemeinde war, regelmäßig zum Gottesdienst ging und stolz war, die Wäsche des Herrn Pfarrers flicken zu dürfen. Wir hassten die kratzigen Kleidungsstücke, und nach dem sonntäglichen Mittagessen zogen wir, wenn uns nicht weitere Sonntagspflichten erwarteten oder ein Besuch angekündigt war, die Wollsachen rasch aus und rissen mit beiden Händen die starren, unnachgiebigen Garnstrümpfe von den Beinen.

An diesem Sonntag musste Mutter uns nicht ein zweites Mal wecken kommen, und wir kleideten uns rasch und ohne zu fluchen und zu stöhnen an. Vor dem Frühstück sprach Vater ein sehr viel längeres Gebet, als es sonst üblich war, weil wir den Kirchgang versäumen würden. Zehn Minuten vor sechs fuhren wir los, meine Eltern mit dem Baby, Dorle, Michael, Markus und ich. Die Stadt war um diese Zeit völlig still, nur ein paar Katzen waren zu sehen, und das Geknatter unseres Autos war viel lauter zu horen. In die winzige Blumenvase, die am Armaturenbrett angeschraubt war, hatte Mutter drei Gartennelken gesteckt, was Vater amüsierte. Mutter erwiderte nur, dass das Auto nun einmal mit einer Blumenvase ausgerüstet sei, und eine Vase ohne Blumen erinnere sie stets an ein offenes Grab. Sie schließe darum ihre leeren Vasen in den Wandschrank ein. Sie erinnerte meinen Vater daran, wie er mit dem Küster geschimpft hatte, als dieser im letzten Winter nicht einmal ein paar Zweige für die Vasen auf dem Altar hatte auftreiben können. Vater sagte, das könne man nicht vergleichen, die Altarvasen und den lächerlichen Glaskegel am Armaturenbrett. Mutter strich behutsam über die Blumenköpfe, wandte sich zu uns um und fragte, ob wir bequem säßen. Wir nickten, obwohl wir uns hinten zu viert quetschten und zwei mehr auf dem nach innen gewölbten Radkasten als auf dem Polster Platz hatten.

Hinter der Autobahnbrücke wurden wir von einem Polizeiposten angehalten. Ein Beamter kam an den Wagen und Vater reichte ihm die Personalausweise durch das geöffnete Fenster. Der Mann in Uniform blätterte in den Papieren, dann bückte er sich und schaute uns Kinder auf dem Rücksitz an. Er bat Vater, den Kofferraum zu öffnen. Vater stieg aus und beide gingen hinter das Auto. Mutter bedeutete uns, ruhig zu sein und nichts zu sagen. Schließlich kamen der Polizist und Vater zurück, der Beamte hielt noch immer die Ausweise meiner Eltern in der Hand. Er fragte Vater, wohin er reise. Vater sagte, dass wir nach Potsdam wollten, um mit der S-Bahn zu einem seiner Söhne zu fahren, der in Berlin wohne.

»In welchem Berlin?« fragte der Beamte.

»In welchem Berlin?« wiederholte mein Vater überrascht und fügte dann, noch ehe der Beamte etwas sagen konnte, hinzu: »Im demokratischen Berlin. Im demokratischen Berlin selbstverständlich.«

Der Mann gab Vater die Papiere zurück und wünschte ihm eine gute Fahrt. Vater dankte ihm und stieg ins Auto. Er lachte, als er Mutter sagte, dass er nicht gelogen habe. Er drehte sich während der Fahrt zu uns um und sagte: »Man sollte nie lügen und man muss nie lügen. Man muss sich nur manchmal genau überlegen, was man sagt.«

»Schau bitte nach vorn, wenn du fährst«, sagte Mutter.

Vater lachte auf, er blickte demonstrativ lange zu Mutter und beobachtete nur für Bruchteile von Sekunden die Straße. Als Mutter ihn strafend ansah, sagte er: »Der Polizist hat sicherlich deine Nelken gesehen, das wird ihn so friedlich gestimmt haben.«

Vater stellte den Wagen auf dem Hof des Landesjugendpfarramts in Potsdam ab. Er klingelte an der Tür, aber keiner öffnete, und wir konnten gleich zum Bahnhof gehen. Es waren nur wenige Leute um diese Zeit unterwegs, und wir hatten einen Waggon für uns. Eine Station später kamen zwei Beamte in den Wagen, sie ließen sich die Papiere der Eltern zeigen und fragten, wohin wir fahren. Vater sagte wieder, dass er mit der Familie seinen Sohn im demokratischen Berlin besuchen wolle. Der Polizist, der seinen Ausweis in der Hand hielt, sah ihn schweigend und erwartungsvoll an. Da mein Vater nichts hinzufügte, fragte er ihn nach der Adresse in Berlin. Vaters Stirnhaut verfärbte sich leicht, als er den Namen jener Straße nannte, in der das ostberliner Konsistorium lag und wo er gelegentlich zu tun hatte. Der Beamte gab Vater die Papiere zurück und setzte sich mit seinem Kollegen auf eine der Holzbänke. Auf der nächsten Station verließen sie das Abteil. Vater rief uns ans Fenster und zeigte uns, wo die Grenze verlief, die wir mit der S-Bahn überfuhren.

»Jetzt sind wir in Westberlin«, sagte Vater.

Und Dorle sagte: »Aber diesmal hast du richtig gelogen. Eine dicke fette Lüge.«

»Ja«, sagte Vater nur.

Im Grunewald stiegen wir aus und liefen durch Straßen mit großen Villen. Vor den Grundstücken standen Autos. Es waren prächtige amerikanische Straßenkreuzer darunter, so lang wie zwei normale Autos. Einer der Wagen war nicht abgeschlossen, ein hellblauer Chrysler mit Schwanzflossen. Als die Eltern ein paar Schritte weitergegangen waren, öffnete ich die Tür und ließ sie laut krachend zufallen. Ich hatte erwartet, dass irgendjemand aus einer der Villen herausgelaufen käme oder ein Fenster geöffnet würde. Aber es herrschte paradiesische Stille, und wie ein Paradies erschien mir diese Gegend, wo so wundervolle Autos unverschlossen auf der Straße herumstanden, als ob jeder, der es nur wolle und könne, damit fahren dürfte. Der einzige, der mich zur Ordnung rief und mir drohte, war mein Vater, der stehen geblieben war und auf mich wartete.

Das Schülerheim war eine große dreistöckige Villa mit einem Garten. Als wir vor dem Gartenzaun standen, sagte Michael: »Das ist ja ein richtiges Schloss, in dem David jetzt wohnt.«

»So sind doch hier alle Häuser«, sagte ich, »hier wohnt jeder in so einem Schloss.«

Vater klingelte. Ein älterer Schüler öffnete die Tür und führte uns in einen Aufenthaltsraum, eine Diele mit großen, bis auf den Fußboden reichenden Fenstern, von der eine Treppe nach oben führte. In der Mitte der Diele war der Billardtisch, von dem mir David schon erzählt hatte, und mehrere Jungen umstanden ihn mit Billardstöcken in den Händen. Unter ihnen war David. Als er uns sah, gab er seinen Stock einem anderen Jungen und kam uns entgegen. Mutter weinte etwas, als sie ihn begrüßte und küsste, was David peinlich war. Uns Kindern reichte er nicht die Hand, er klopfte uns auf die Schultern, legte Dorle eine Hand auf den Kopf und sagte lediglich: »Hallo.«

Seine Freunde hatten uns nur kurz und uninteressiert gemustert und sich wieder dem Billard zugewandt. David brachte uns nach oben in sein Zimmer im ersten Stock. Es war ein großer heller Raum mit einem Erker und vielen Fenstern, den David mit fünf Klassenkameraden zusammen bewohnte. Drei Doppelbetten standen an den Wänden, eine Wand war mit Schränken verstellt. Jeder hatte einen Arbeitstisch und einen Stuhl, die Tische waren zusammengeschoben, so dass sie in der Mitte des Zimmers einen rechteckigen, unregelmäßigen Block bildeten. Da keiner der Mitbewohner im Raum war, konnte sich jeder von uns einen Stuhl nehmen und an die Tische setzen. Meine Eltern fragten David nach der Schule und dem Leben im Schülerheim, er erzählte unwillig und lustlos. Es gefiel ihm nicht, über seine Schulleistungen zu sprechen, und darüber, was er in seiner Freizeit machte, wollte er schon gar nicht Auskunft geben. Mutter wollte Einzelheiten wissen, doch David wurde immer mürrischer. Dann ließ sich Mutter seinen Schrank zeigen, und obgleich er laut protestierte, ließ sie sich nicht davon abhalten, seine Sachen aus den Schrankfächern herauszunehmen und ordentlich einzuräumen, wobei sie ihn fragte, woher er denn dieses habe und wozu er jenes benötige. Schließlich gingen meine Eltern zum Leiter des Schülerheims und ließen uns im Zimmer des Bruders zurück.

Ich bat David, mir seine Schulbücher zu geben. Er griff in ein Regal und legte einen Stapel Bücher vor mir auf den Tisch. Ich war überrascht, dass auch ein Russischlehrbuch dabei war.

»Habt denn ihr auch Russisch? Ich denke, im Westen lernt man kein Russisch.«

»Wir schon. Die Ostklassen haben auch Russisch.«

Ich blätterte in den lateinischen und griechischen Texten. Die griechischen Schriftzeichen beeindruckten mich.

Ich kannte sie zwar aus Vaters Büchern, aber ich hatte sie noch nie in einem Schulbuch gesehen. Sie wirkten dadurch erlernbar und weniger fremd als bei Vaters exegetischen Texten, die mir rätselhaft und unbegreiflich schienen. Ich fragte David, ob Griechisch schwerer als Russisch sei. Er zog nur verächtlich die Mundwinkel nach unten. Schließlich sagte er: »Im nächsten Jahr kommt Hebräisch dazu, das ist schwer. Aber Russisch und Englisch, das lernt sich nebenbei.«

Schon immer hatte David bessere Noten bekommen als ich, und auf der Grundschule hörte ich von allen Lehrern den Satz »Aber dein Bruder hat das doch geschafft«. Er schaffte alles viel besser, und wenn ich ihm von meinen Problemen erzählte, verdrehte er nur die Augen und sagte, dass ich mich nicht so anstellen solle, weil es kinderleicht sei. Manchmal half er mir, und ich konnte sehen, dass für ihn wirklich alles kinderleicht war.

Was David nervte, war das Familienleben und die vielen Geschwister. Er hasste es, mit der ganzen Familie einen Spaziergang machen zu müssen oder zum Fotografen zu gehen, wenn Vater ein neues Familienporträt für uns und die Verwandten anfertigen lassen wollte. Ich glaube, David fühlte sich in dem Schülerheim vor allem deshalb so wohl, weil er dadurch die Familie verlassen konnte und endlich auf sich allein angewiesen war. Und er würde natürlich das Gymnasium und Griechisch und Hebräisch spielend bewältigen, aber ich wusste nicht, ob auch ich die Sprachen jemals erlernen könnte.

Dorle fragte David, warum die Schränke wie Herr Scheffler aussähen. Ich sah mir die Schranktüren an, sie waren mit winzigen Kerben übersät. Herr Scheffler besaß daheim ein Papierwarengeschäft und sein Gesicht war pockennarbig. David grinste. Er sagte, sie würden im Zimmer mit einem Luftgewehr schießen. Er legte verschwörerisch den Zeigefinger an die Lippen und Dorle nickte begeistert.

»Ist das nicht gefährlich?« fragte sie.

»Einmal haben wir einem in den Arsch geschossen. Aus Versehen.«

»Und? Hat er schlimm geblutet?«

»Überhaupt nicht. Aber einen blauen Fleck hatte der, sage ich dir. Der konnte eine Woche nicht richtig sitzen.«

Die Eltern kamen zurück, und Vater sagte, dass Pfarrer Sybelius ein sehr feiner und gebildeter Mann sei, mit dem er sich gern unterhalte. Er habe sich sehr wohlwollend über David geäußert, nur die Disziplin ließe zu wünschen übrig.

»Aber keine Sorge«, sagte er zu David, »viel haben wir über dich nicht geredet. Wir haben über Politik gesprochen, über Ungarn. Das ist ja in solchen Zeiten nicht verwunderlich. Und er hat uns zum Mittagessen eingeladen, das war sehr nett. Wir werden also mit deinen Kameraden zusammen essen. Das ist uns in pekuniärer Hinsicht mehr als recht.«

David sah nur kurz zu mir und verdrehte die Augen.

Im Speisezimmer kam Pfarrer Sybelius uns entgegen und führte uns zu dem Tisch, an dem er, Fräulein Vogelsang, die Wirtschafterin, und zwei Erzieher Platz genommen hatten. An den langen eingedeckten Tischen saßen zwanzig Jungen, die uns aufmerksam betrachteten und sich spöttisch über uns unterhielten. David saß bei uns. Er sah nicht zu ihnen hinüber, er blickte starr auf den Teller vor ihm.

Pfarrer Sybelius bat meinen Vater, das Tischgebet zu sprechen, er nannte ihn einen lieben Gast, der getreulich bei seiner Herde ausharre. Vater stand auf und betete. Er sprach viel länger als sonst und erwähnte auch David im Gebet. Er sagte, er sei dankbar, dass sein Sohn in diesem

Haus eine Heimat gefunden habe. Mein Bruder senkte seinen Kopf noch tiefer. Ich konnte sehen, dass er knallrot geworden war.

Herr Sybelius war so alt wie mein Vater, aber sein Haar war stark gelichtet, er hatte eine Halbglatze. Er bewegte beim Reden seine Hände unaufhörlich in der Luft und sprach leise und mit Worten, die mir veraltet und lächerlich erschienen. An seinem Revers trug er ein goldenes Abzeichen, einen Adler mit einem leuchtend blauen Stein im Schnabel. Ich fragte ihn danach, und er erklärte, es sei das Emblem einer amerikanischen Kirche, in der er einige Jahre tätig gewesen war, und symbolisiere Gottes Geist und die Weltkugel. Er sprach sehr aufmerksam und ernsthaft mit mir und erkundigte sich, wie es mir auf der Schule ergehe und ob ich meinem Bruder folgen werde. Ich sagte, ich wisse es nicht, und sah zu meinem Vater.

Nach dem Mittagessen fuhr unsere Familie mit dem Bus in die Stadt, zum Kudamm. Wir liefen die breite Straße auf und ab und schauten uns die Schaufenster an. Mutter wurde ganz still beim Betrachten der Auslagen, ihre Wangen waren hektisch gerötet, was Vater belustigte. Er lud uns alle in ein Café ein. In einem Glasvorbau standen Tische und Stühle direkt auf dem Bürgersteig, auf das Pflaster war ein Teppich gelegt, und oben an den Metallpfosten hingen Heizstrahler. Man saß wie im Freien und trotzdem war es warm und sehr elegant. Die Passanten mussten um die Glasveranda herumgehen, und wir konnten auf den Stühlen sitzen, Eis essen und alles gut sehen, die Autos und die Menschen und die Reklame. An dem Haus gegenüber war eine Leuchtschrift angebracht. Auf einer länglichen Platte mit unzähligen kleinen Lämpchen, die so aufleuchteten, dass man den Eindruck hatte, die Buchstaben würden von rechts nach links darüber hinweg laufen, waren Worte und Sätze zu lesen, Werbesprüche und Nachrichten. Manchmal waren Figuren zu sehen, die sich zu bewegen schienen. Die Meldungen der Nachrichten begannen alle mit dem Wort Budapest. Danach kam ein Doppelpunkt, und es folgte ein kurzer Satz über die Ereignisse in Ungarn und über Imre Nagy, der auf der Leuchtschrift immer nur »der erste Mann Ungarns« genannt wurde. Wir starrten gebannt auf die wandernden Buchstaben, voller Bewunderung für das technische Wunder einer leuchtenden, sich bewegenden Schrift und verängstigt durch die fürchterlichen Meldungen.

Russische Panzer rollen in die ungarische Hauptstadt. Auf allen Plätzen sind schwere Kämpfe in Gang. Junge Ungarn gehen mit einfachen Gewehren gegen die Panzer vor. Russische Geschütze stehen auf allen Brücken der Hauptstadt. Nagy ist erschossen worden. Nagy leitet den Aufstand und kämpft persönlich mit. Nagy ist verhaftet. Nagy ist im Ausland. Der erste Mann Ungarns spricht im Rundfunk und ruft zum Widerstand auf. Russische Bomber kreisen über der Stadt. Kardinal Mindszenty flieht in die Botschaft der USA.

Wir hielten die Köpfe starr nach oben gerichtet und lasen uns halblaut die Meldungen vor. Wenn keine Nachrichten kamen, flimmerten Werbesprüche über die Tafel, von denen ich mir keinen entgehen ließ und die ich, da sie fortwährend wiederholt wurden, bald erraten konnte, bevor sie vollständig erschienen waren. Vater sprach in diesen Pausen mit David über die gemeldeten Ereignisse und über die Folgen für unser Land, über die Auswirkungen, die sie auf die Arbeit meines Vaters und auf unsere Familie haben könnten. Mutter sagte zweimal, dass es Krieg geben würde, dass es schon zweimal so angefangen habe. Sie fragte unsere Kellnerin, wo sie ihr Baby stillen könne, und die Kellnerin bat sie mitzukommen. Über Davids Gymnasium und das Schülerheim wurde kein Wort mehr verloren. Nur die beiden Kleinen aßen unbekümmert ihr Eis und verlangten nach einer Fruchtmilch. Die Leuchtschrift interessierte sie nur wegen der Fehlkontakte, wenn ein Lämpchen nicht leuchtete oder ein Zeichen ausfiel und als blinder Fleck zwischen den flackernden Zeichen auf dem Hausdach vorbeiglitt. Und jedesmal fragten sie Dorle und mich, ob wir das auch gesehen hätten.

Verwundert beobachtete ich die anderen Gäste des Cafés. Sie warfen nur gelegentlich einen Blick auf die Leuchtschrift und beachteten offensichtlich weder die Nachrichten noch die Werbung. Sie plauderten miteinander, schauten sich aufmerksam die vorbeiflanierenden Passanten an oder starrten in die Luft. Auch die Passanten blickten nur selten zu den Meldungen hoch. Sie sahen sich die Auslagen der Geschäfte an, musterten eindringlich die hinter den Glasscheiben sitzenden Gäste des Cafés und schauten sich unbefangen an, was serviert worden war. Diese Gelassenheit beeindruckte mich. Neugierig geworden, teilte ich meine Aufmerksamkeit zwischen der flimmernden Schrift und den Passanten, ihren Gesichtern und der Art ihres Reagierens. Da ich mir nicht vorstellen konnte, dass diese Nachrichten für sie ohne Bedeutung waren, erschien mir ihr Verhalten ein Ausdruck der Großstadt zu sein. Nur wenn man vom Leben einer Weltstadt geprägt war, konnte man sich selbst bei den schlimmsten Schreckensmeldungen so lässig und ungerührt geben. Wie die vier Evangelisten bei der Kreuzigung auf dem Bild in unserer Marienkirche.

Ich hörte meinem Vater zu, der fassungslos war und seinen Kaffee und das Stück Kuchen nicht einmal anrührte. Er sprach von einem Verbrechen und konnte sich gar nicht beruhigen, und ich hoffte, die Gäste an den Nebentischen würden es nicht bemerken, weil sie dann erkannt hätten, dass wir aus einer Kleinstadt kamen und aus dem Osten. Und hier, in einem Straßencafé mitten auf dem Kurfürstendamm, wollte ich keinesfalls als einfältiger Provinzler entlarvt werden, der sich von Panzern und Gewehrsalven beeindrucken läßt.

»Iss doch bitte den Kuchen«, sagte Mutter, bevor Vater bezahlte und wir das Café verließen, »er ist teuer genug.«

Vom Café gingen wir ins Aquarium und blieben eine Stunde dort. Ich musste mit Dorle und den beiden Kleinen umherlaufen, weil die Eltern mit David viel zu bereden hatten. Dorle und ich mussten den Kleinen die Schilder an den Becken und Glaswänden vorlesen und ihre dummen Fragen beantworten, obwohl ich lieber zugehört hätte, was David vom Gymnasium erzählte.

Um halb sieben machten wir uns auf den Heimweg. Mein Bruder wollte nicht, dass wir noch einmal mit ins Schülerheim gingen. Er wollte uns zur Bahn bringen, aber Mutter hatte ihre Tasche bei der Wirtschafterin abgestellt, und so fuhren wir mit dem Bus in den Grunewald. Fräulein Vogelsang brachte die Tasche, lobte David und strich ihm übers Haar, was er sich unwillig gefallen ließ. Er brachte uns zum S-Bahnhof. Als Mutter sagte, dass Fräulein Vogelsang eine besonders nette und schöne Frau sei, wurde David verlegen. Wir verabschiedeten uns von ihm und Mutter weinte. Als ich David die Hand gab, hatte ich den Eindruck, er sei erleichtert, dass wir abfuhren.

»Und was machst du heute Abend? Was machst du allein an einem Sonntagabend?« erkundigte sich Mutter, als wir bereits im Waggon des Zuges standen.

»Ich muss noch Vokabeln lernen«, sagte David gleichmütig, und Vater nickte stolz.

In Potsdam stiegen wir ins Auto, und Mutter fragte, wie es uns gefallen habe.

»Es war nicht schlecht«, sagte ich und Dorle sagte: »Ich

wollte aber ein Eis, das völlig mit Schokolade überzogen ist. So wie du damals. Und das habe ich nicht bekommen.«

Am Polizeiposten mussten wir nicht halten, der Beamte winkte uns durch. Die Eltern unterhielten sich leise, Dorle und die beiden Kleinen schliefen bald ein, und ich dachte an das Gymnasium und das Schülerheim mit dem Billardtisch und den zerschossenen Schranktüren.

Nach dem Besuch bei meinem Bruder war ich fester denn je entschlossen, nach Westberlin zu gehen, sobald ich die Grundschule beendet haben würde. Ich musste mich nur etwas anstrengen, um gute Ergebnisse zu erreichen, jedenfalls in den wichtigen Fächern, denn ich hatte mitbekommen, dass nicht alle in dem westberliner Gymnasium gebraucht und geschätzt wurden. In Deutsch und Mathematik musste ich natürlich beste Zensuren haben, auch die Sportnote wurde gewertet und die Fremdsprachen. Doch Geschichte und Staatsbürgerkunde zählten nicht, und hier konnte man schlecht abschneiden und trotzdem die Aufnahmebedingungen des Gymnasiums erfüllen. Der Schlüssel für Westberlin aber lag, wie ich wusste, bei meinem Vater. Nur wenn er sich weiterhin mit dem Schuldirektor, dem Bürgermeister und den Funktionären der Partei herumstreiten würde, wenn er den Behörden der Stadt und des Kreises gegenüber weiterhin so standhaft bliebe, dass die Lehrer gelegentlich auch mir gegenüber eine bissige Bemerkung machten, wäre gesichert, dass mein Antrag auf Besuch der Oberschule abgelehnt werden würde.

Doch so sehr ich das für mich erhoffte, ich hatte gleichzeitig Angst. Die große Stadt war nicht nur anziehend, sie hatte mich auch eingeschüchtert, und ich wusste nicht, ob ich so unerschrocken wie mein Bruder sein würde, der schon nach einem Vierteljahr den Eindruck machte, die ganze Stadt zu kennen und in seinem Leben nie woanders gewohnt zu haben. Das Gymnasium und die Schulbücher, die David mir gezeigt hatte, die unlesbaren Schriftzeichen, die verwirrenden Formeln und Symbole entmutigten mich.

In unserer Oberschule wäre alles vertrauter für mich. Einige Schulkameraden würden täglich mit mir fahren, sicher Lucie und auch mein Freund Reinhard. Die Kreisstadt und das Schulgebäude kannte ich bereits, und alles, was ich bisher gelernt hatte, wäre weiterhin gültig und wichtig und richtig. Und obendrein würde ich wahrscheinlich jeden Tag Sebastian auf der Hin- und Rückfahrt im Zug treffen, die Fotos verkaufen und mich mit ihm über die mitreisenden Mädchen unterhalten können. Der Gedanke, daheim zu bleiben und nicht in die aufregende, aber beunruhigende Großstadt zu fahren, war nicht unangenehm.

Der gleichzeitig ersehnte und befürchtete Wechsel beschäftigte mich während der Heimfahrt und ließ mich nicht einschlafen. Es lebte sich leichter, wenn der nächste Tag sich nicht allzusehr vom vorhergehenden unterschied, wenn die Veränderungen und Überraschungen, die mich erwarteten, einen winzigen gemeinsamen Nenner mit all jenen Erlebnissen und Katastrophen hatten, die ich bereits überstanden hatte. Andererseits hasste ich Langweile, und was mich an der Kleinstadt und meiner Familie aufs Äußerste verbitterte, war der sich stets gleichende Ablauf des alltäglichen Geschehens, die vollkommene Ereignislosigkeit. Doch die nun fast greifbar nahe vollständige Veränderung meines Lebens schüchterte mich ein. Ich wusste mich nicht zu entscheiden, und wie immer, wenn ich unentschlossen war, ließ ich alles treiben, um das sich dann ergebende Geschick als unvermeidlich hinzunehmen. Nicht ich musste mich entscheiden, der Zufall bestimmte, und im Grunde meines

Herzens war ich davon überzeugt, dass mein Schicksal überlegter, als ich es je könnte, für mein Glück sorgen würde. Was geschah, musste so geschehen, und es war für mich viel einfacher, mit den unangenehmen Folgen eines unvermeidlichen Geschicks zu leben als mit einem Missgeschick, das ich durch Dummheit oder Unkenntnis selbst heraufbeschworen hatte. Ich glaubte, so die Vorsehung, von der Vater so häufig sprach und die er göttlich nannte, zu zwingen, mein Leben zu bestimmen und statt meiner alle Verantwortung für meine Existenz zu übernehmen.

Einigen Schulfreunden hatte ich von dem Besuch in Westberlin erzählt, vor allem von der Leuchtschrift auf dem Häuserdach. Ich musste ihnen erklären, wie die Buchstaben über die Tafel glitten. Reinhard sagte, dass er das schon gesehen hätte, und Peter, der allein mit seiner Mutter hinter der Gärtnerei wohnte und eine richtig funktionierende Dampfmaschine gebaut hatte, erkundigte sich nach den Einzelheiten. Dann kniff er die Augen zusammen und behauptete, es sei nicht schwer, eine solche Leuchtschrift zu konstruieren. Er wollte mit uns wetten, dass er in drei Tagen eine eigene Leuchtschrift installiert hätte. Wir wollten auf die Wette eingehen, aber Peter verlangte von jedem von uns fünf Mark, weil er hundert Glühlämpchen und ein paar Meter Elektrolitze kaufen müsse. Er hätte uns dafür die Leuchtschrift geschenkt, aber soviel Geld konnten wir ihm nicht geben.

Im Unterricht erzählte ich nichts von der Leuchtschrift. Die Nachrichten, die ich dort gelesen hatte, kannten meine Freunde bereits aus dem Radio, von den Nachrichten der Westsender. Auch in unseren Zeitungen wurde darüber berichtet, aber die Meldungen auf der Leuchtschrift klangen viel spannender. Bei uns stand nicht, dass ungarische Patrioten mit einfachen Gewehren gegen Panzer vorgegangen sind, und von Verhaftungen und von Menschen, die in Botschaften fliehen, war ebenfalls nichts zu finden. Die Regierung und ungarische Patrioten, hieß es, hätten die Sowjetunion um militärischen Beistand gebeten, weil Banditen und illegal eingereiste Feinde aus dem Ausland die rechtmäßig gewählten Volksvertreter bedrohten und die Errungenschaften des werktätigen Volkes und der sozialistischen Ordnung zerstören wollten. Einige Mädchen in der Klasse weinten, als die Lehrerin uns Fotos zeigte, auf denen Menschen zu sehen waren, die einen älteren Mann an einer Brücke aufhängten. Auf einem anderen Foto baumelten ein Mann und eine Frau an einer Laterne und Zivilisten mit Gewehren über der Schulter versuchten eine andrängende Menge zurückzuschieben. An der Brust des Mannes, der an der Laterne hing, war ein Schild befestigt mit einer Aufschrift, die wir nicht lesen konnten. Die Klassenlehrerin wollte mit uns ein Gespräch darüber führen, aber die meisten Mitschüler wollten sich nicht äußern. Nur drei Mädchen meldeten sich und sagten, wie sehr sie die Konterrevolution in Ungarn verabscheuten und wie froh sie seien, dass die Sowjetunion wieder zur Hilfe bereit sei wie damals gegen die deutschen Faschisten. Einige dachten so wie ich, aber alle übrigen interessierten sich nicht für Politik und waren nur froh, dass nicht nach den Hausaufgaben gefragt wurde.

Die Lehrerin wollte das aktuelle Thema beenden und zum regulären Schulstoff übergehen, als sich Lucie meldete und mich aufforderte, etwas zu sagen. Sie erzählte der Lehrerin, dass ich am Sonntag in Westberlin gewesen sei und auf dem Schulhof die feindliche Propaganda verbreitet habe.

Lucie war unsere Klassenbeste und sie war das schönste Mädchen unserer Klasse. Ich wäre gern mit ihr befreundet gewesen. Jeder Junge aus meiner Klasse wollte mit ihr befreundet sein, aber sie gab sich nicht mit Jungen ab. Manchmal behauptete zwar einer, er sei mit ihr ins Kino oder an den Fluss gegangen, aber wir wussten alle, dass das bei Lucie nichts bedeutete und dass der Junge nur angeben wollte.

Lucie war streng katholisch. Ich sah sie jeden Sonntag, bevor ich in die Kirche gehen musste. Sie kam dann mit ihren Eltern aus der Messe und ging an unserem Haus vorbei. Sie trug ein dunkelblaues Taftkleid mit weißem Kragen und goldener Spitzenborte. Im Haar hatte sie eine große schwarze Samtschleife, und in der Hand hielt sie ein Gesangbuch und einen Blumenstengel, eine weiße Glockenblume oder ein Stiefmütterchen. Sie ging auch während der Woche in ihre Kirche, zur Abendmesse. Dass ich jeden Sonntag in die Kirche musste, darüber wurde auf dem Schulhof und beim Sport oft gespottet, aber über Lucies Frömmigkeit machte keiner eine dumme Bemerkung, obwohl sie ihre Kirche viel öfter besuchte und richtig gläubig war. Die Mädchen respektierten sie neidlos, jedenfalls gab es keine Auseinandersetzungen zwischen ihnen wie bei anderen Mädchen, und die Jungen waren ausnahmslos in sie verliebt.

Lucie war nicht nur die Klassenbeste und eine fromme Katholikin, sie war auch bei den Thälmannpionieren, was Vater uns nie erlaubt hätte, und sie war dort so rührig und beliebt, dass die Klassenkameraden sie Jahr für Jahr zur Gruppenratsvorsitzenden wählten. Bei jedem anderen wäre man verwundert oder misstrauisch gewesen, aber bei Lucie wurde es hingenommen, dass sie sowohl eine gläubige und eifrige Katholikin als auch ein begeisterter Thälmannpionier war. Tante Magdalena sagte mir zwar, dass sie sich nicht darüber wundere, weil die Katholiken falsch seien, aber bei Lucie wirkte alles natürlich. Keiner von uns kam auf den Gedanken, dass sie sich widersprüchlich verhielte oder sich den unterschiedlichsten Anforderungen allzu willig anpasste. Was immer sie sagte und tat, es wurde von den Lehrern wie von ihren Mitschülern anerkannt. Sie war eine Autorität in der Klasse, dabei war sie weder hochmütig noch herablassend, ihre guten Leistungen brachte sie anscheinend mühelos, sie war keine Streberin, sie wirkte nicht einmal ehrgeizig, und auch zu den schlechten Schülern hatte sie ein freundschaftliches Verhältnis.

Ich war überrascht, als Lucie mich aufforderte, von Westberlin zu erzählen. Ich ahnte sofort, dass es für mich Ärger geben würde, aber ich war ihr nicht böse. Ihr war nie jemand böse. Ich stand auf und berichtete stockend von der Fahrt nach Westberlin und von der Leuchtschrift. Ich bemühte mich, vor allem die Technik einer solchen Schriftkette zu erläutern, zumal die meisten Mitschüler sich daran interessierter zeigten als an den politischen Meldungen, aber auch weil ich annahm, dass die Schlagzeilen, die ich dort gelesen hatte, bei der Lehrerin nicht auf Zustimmung treffen würden. Die Lehrerin unterbrach mich bald, sie sagte, dass sie sich mit mir nicht über eine technische Spielerei unterhalten wolle, dafür sei die internationale Lage viel zu ernst. Dann redete sie über Ungarn und darüber, dass dumme und naive Menschen wie ich auf die feindliche Propaganda hereinfielen, wenn sie aus einem Elternhaus kämen, das politisch indifferent sei und in dem man nicht als Staatsbürger geschult werde. Während sie sprach, musste ich neben der Bank stehen bleiben. Mit gesenktem Kopf hörte ich mir ihre Strafpredigt an. Ich setzte mich erst, als sie mich dazu aufforderte.

In der Pause ging ich zu Lucie. Sie stand mit Kristin und drei Freundinnen aus der Parallelklasse zusammen. Ich sagte, dass ich sie sprechen müsse. Sie wandte sich zu mir und sagte freundlich: »Ja bitte.«

»Ich muss dich allein sprechen«, sagte ich.

»Was ich sage, kann jeder hören«, sagte sie, »und du

musst dir angewöhnen, offen zu sprechen und keine Geheimnisse zu haben. Es gibt einen, der sowieso alles hört.«

Wenn es nicht Lucie gewesen wäre, hätte ich gefragt, ob sie den Schuldirektor meine oder Herrn Greschke, unseren Geschichtslehrer, aber so schluckte ich nur und sagte, ich fände es von ihr nicht richtig, dass sie das von Westberlin der Lehrerin erzählt habe.

»Und warum nicht?« erkundigte sie sich erstaunt. Sie sah ihre Freundinnen an und schüttelte empört den Kopf. Ich war verwirrt und konnte nur wiederholen, dass ich es gemein von ihr fand.

»Aber warum denn, Daniel?« fragte sie eindringlich. »Kannst du mir das erklären?«

»Weil ich, bei Gott im Himmel, Ärger kriege, verflucht noch mal.«

Ich drehte mich um und ging zu den Jungen. Das mit Gott im Himmel hatte ich gesagt, um sie zu reizen. Wie mein Vater konnte sie es nicht leiden, wenn man den Namen Gottes in einer Redewendung oder einem Fluch nannte.

Bei den Gruppennachmittagen der Pioniere sprach man sicher manchmal über Gott. Die Pioniere wurden darüber aufgeklärt, dass Religion Opium für das Volk und Gott eine menschliche Erfindung sei, um die Menschen in einem irdischen Jammertal zu trösten und damit sie die Ausbeutung durch die herrschende Klasse geduldig hinnähmen. Ich wusste nicht, wie sich Lucie bei diesen Gesprächen am Pioniernachmittag verhielt. Ich hatte einen Jungen mal gefragt, aber der verstand meine Frage gar nicht. Er sagte nur: »Na, du weißt doch, sie ist dauernd die Beste, sie hat immer alles gelesen. Und mit Gott kennt sie sich sowieso gut aus.«

Und außerdem hatte ich das mit Gott im Himmel gesagt, weil ich nicht wusste, was ich auf ihre Frage sagen sollte. Aber auch jetzt war ich nicht wütend auf sie. Ich wollte es mir nicht eingestehen, dass ich nur deshalb zu ihr gegangen war, um ihre Aufmerksamkeit zu gewinnen. Ich wäre gern ihr Freund gewesen, obwohl sie noch gar keine Brust hatte wie Kristin oder Mareike und schon gar nicht wie Pille. Während des Unterrichts betrachtete ich sie oft, aber ich konnte mit ihr nicht so sprechen wie mit den anderen. Bei ihr wurde ich verlegen und wusste nichts zu sagen.

Im Radio und in den Zeitungen wurde wochenlang über die Ereignisse in Ungarn berichtet, und in der Schule wurde jeden Tag darüber gesprochen. Dann hörten wir die Meldung, dass die Volksmacht den faschistischen Angriff abgewehrt und die Ruhe wiederhergestellt habe. Die Verbrecher und Aufrührer seien verhaftet worden und hätten eine unnachsichtige, aber gerechte Bestrafung zu erwarten. Ich war erleichtert, weil die Lehrerin nun morgens keine Zeitungsschau mehr mit uns machte, um den politisch unreifen Schülern zu einer festen Weltanschauung zu verhelfen. Der politisch unreife Schüler war ich, dass wusste die ganze Klasse. Darum musste ich jeden Morgen die Pressemeldungen vortragen, damit ich es lernte, die Zeitung richtig zu lesen und zu verstehen. Meinem Vater erzählte ich nichts davon. Er wäre erneut beim Direktor erschienen, um sich zu beschweren, und ich wollte nicht schon wieder Mittelpunkt einer Auseinandersetzung an unserer Schule sein, auch wenn mir der Streit bei dem erwünschten Schulwechsel hätte helfen können.

Mit Tante Magdalena habe ich auch über Ungarn gesprochen. Als wir einmal »Krieg zur See« spielten, sagte ich, dass in Budapest jetzt richtig gekämpft werde, nicht nur auf einem Brett und mit Holzfiguren.

»Und weißt du, warum sie kämpfen?« fragte sie. »Warum bringen sie sich um? Weißt du das?«

»Vater sagt, das ist das Böse in der Welt und im Menschen. Das Böse führt zu Mord und Krieg. Und in der Schule heißt es, das ist der Klassenkampf, und solange Völker unterdrückt werden, wird es auch Krieg geben.«

»Mit dem Klassenkampf kenne ich mich nicht aus«, sagte Tante Magdalena, »und das mit dem Bösen, das ist sicher richtig. Dein Vater ist ja ein kluger Mann. Aber mit dem Krieg, das ist für mich nur wie eine Ohrfeige.«

»Eine Ohrfeige? Wieso ist der Krieg wie eine Ohrfeige?«

»Ach, weißt du, in meiner Schlafkammer habe ich einen Koffer mit alten Briefen, die ich nicht wegwerfen will. Da ist auch ein Brief von einem jungen Mann dabei. Das heißt, damals war er ein junger Mann, als er ihn schrieb. Er ist schon lange tot.«

»War das dein Verlobter? Der auf dem Foto?«

»Ja, mein Verlobter. Damals war er im Krieg. Ein Vierteljahr bevor sein Schiff getroffen und er als vermisst gemeldet wurde, schrieb mir, dass er mich rasch heiraten wolle, weil er nicht wisse, was ihm im Krieg passieren werde. Ich sollte alles vorbereiten und mit seinen Eltern sprechen, und bei seinem nächsten Urlaub wollten wir vor den Altar treten. Dazu ist es nicht mehr gekommen. Er hatte mir geschrieben, ich dürfe nicht um ihn trauern, wenn das Schicksal entschieden habe, dass er sich für Deutschlands Ehre opfern müsse. Und ich sollte mich in diesem Fall um seine Eltern kümmern und sie trösten. Und auch ihnen sollte ich sagen, dass sie seinen Heldentod nicht beklagen dürften. Sie sollten darauf stolz sein. So war das damals. Als ich vom Kommando in Kiel die Nachricht erhielt, er sei auf hoher See vermisst und es bestünde wenig Aussicht, ihn lebendig oder tot zu bergen, ging ich zu seiner Mutter. Sie war im Stall bei den Hühnern und wusste es schon. Sie kam heraus, wechselte die Schuhe und lief mit mir ins Haus. Ich weinte immerzu. Sie kochte uns schweigend einen Kaffee und wir setzten uns ins Wohnzimmer. ›Hör auf zu heulen‹, sagte sie zu mir. Und dann: ›Ich verfluche den Krieg, der mir meinen einzigen Sohn genommen hat. Und dieser Dummkopf hat sich freiwillig gemeldet. Wer soll nun den Hof übernehmen?‹ Sie verzog keine Miene, ihr Gesicht war wie erstarrt. Ich sagte ihr, was Bernhard mir aufgetragen hatte, dass sie stolz sein solle und dass ihr Sohn verboten habe, um ihn zu klagen, weil er für das Vaterland gestorben sei. Sie erwiderte nichts, sie weinte keine Träne. Nur ich heulte. Sie sah mich mit ihrem starren, harten Gesicht an, dann stand sie auf, kam auf mich zu und haute mir eine runter. Mann, hat die zugehauen. Ich heulte gleich noch mal so laut. Aber sie sagte nur: ›So, Anna Magdalena, soviel dazu. Und wenn Bernhard noch leben würde, bekäme er die doppelte Portion.‹«

»Und sie hat dir richtig eine runtergehauen?«

»Ja. Und die hat gesessen, sag ich dir. Bernhards Mutter war eine kräftige Bäuerin. Die konnte einen Bullen festhalten.«

»Warst du wütend auf sie?«

»Nein. Ich war entsetzt. Aber die Ohrfeige habe ich nicht vergessen. Wenn ich etwas von Krieg höre und von heldenhaftem Kampf, tut mir noch heute die Backe weh.«

Und dann lachte Tante Magdalena einen lauten Juchzer und kicherte solange, bis auch ich lachen musste.

Als sie starb, schrieb mir Vater einen langen Brief, um mich zu trösten. Er berichtete, dass sehr viele zur Beerdigung gekommen seien, viel mehr, als er erwartet hatte, und dass eine Verwandte ihren Haushalt aufgelöst habe und inzwischen ein neuer Mieter im ersten Stock bei Bäcker Theuring eingezogen sei, ein älterer Herr von den Adventisten. Darüber, was in den vielen Kartons in ihrer Schlafkammer war, schrieb er nichts. Und auch nichts über die alte Spieluhr. Tante Magdalena hatte versprochen, dass ich sie erben werde, doch ich habe sie nicht erhalten. Ich besitze nichts von ihr, nicht einmal ein Foto.

INHALT

Literarische Spaziergänge mit Büchern und Autoren

Das Kundenmagazin der Aufbau-Verlage.
Kostenlos in Ihrer Buchhandlung

A^{t}V

Band 1122

Christoph Hein
Der fremde Freund

Novelle

224 Seiten
ISBN 3-7466-1122-9

»Meine undurchlässige Haut ist eine feste Burg«, sagt die Ärztin Claudia von sich. Kühl und leidenschaftslos hat sie ihr Leben kalkuliert, es ist so nüchtern wie ihr Einzimmer-Appartement. Die Begegnung mit einem spontanen, risikobereiten Mann und dessen plötzlicher Tod irritieren sie nur kurz. Der Panzer sitzt perfekt. Ihr fehlt nichts. Es geht ihr gut.

»Ein Buch, so still, daß man die Schreie hört, die da verschluckt werden.«

Rolf Michaelis

A^{t}V

Band 1124 **Christoph Hein**
Der Tangospieler
Erzählung

206 Seiten
ISBN 3-7466-1124-5

Erzählt wird die Geschichte eines jungen
Historikers, der mit 21 Monaten Gefängnis
für einen Studentenulk hat büßen müssen.
Durch den Knast wird seine Biographie
folgerichtig: Dallow ist ein Mensch, der das
Gefängnis wittert und der es, als er wirklich darin gesessen hat, endlich sicher zu
identifizieren vermag: als das Medium
seines Daseins vorher, nachher, immerdar.

Barbara Sichtermann

A*t*V

Band 1123 Christoph Hein
Horns Ende
Roman

320 Seiten
ISBN 3-7466-1123-7

»Erinnere dich, du kannst es nicht vergessen haben. Du hast es gesehen. Sprich.«
Beschwörende Aufforderungen, Rückschau zu halten, die Ereignisse in einem verschlafenen mitteldeutschen Landstädtchen im Jahre 1957 nicht zu vergessen. Nicht nur Thomas erinnert sich, der damals ein Kind war und deshalb alles am genauesten wahrgenommen hat, auch die Erwachsenen reden und lassen nach ihrer Art manches offen über jenen Sommer, in dem die Zigeuner gekommen waren und die Untersuchungskommission vom Bezirk und Horn sich das Leben nahm.

A^{t}V

Band 1128

Christoph Hein
Das Napoleon-Spiel

Ein Roman

208 Seiten
ISBN 3-7466-1128-8

»Es war eine Tötung, kein Mord«, behauptet der angesehene Rechtsanwalt, der aus der Untersuchungshaft seinem Verteidiger einen Brief schreibt. Es wird die Beichte eines besessenen Mannes, der nur eine Leidenschaft kennt, das Spiel, und nur eine Furcht, die Langeweile. Jenseits aller Moral sind ihm Begehren, Macht, Geld oder Politik nichts als Spielmaterial, das ihn nur so lange reizt, bis er gewinnt und ein anderes Spiel mit höherem Einsatz, zum Beispiel dem Leben eines völlig Unbekannten, finden muß.

»Sein neuer Roman, glaubwürdig und spannend, ist eine trickreiche Erzählpartie des Autors mit seinen Lesern.«

Jochen Hieber,
Frankfurter Allgemeine Zeitung

A^{t}V

Band 1126

Christoph Hein
Exekution eines Kalbes
und andere Erzählungen

192 Seiten
ISBN 3-7466-1126-1

In diesen Geschichten, zwischen 1977 und 1990 entstanden, zeigt sich Christoph Hein erneut als brillanter Erzähler. Lakonisch berichtend, heiter oder anekdotisch knapp erzählt er von bemerkenswerten Schicksalen und Vorkommnissen, die unversehens und unmerklich auf elementare Fragen verweisen: Welchen Spielraum hat der einzelne, wieviel Verantwortung will er übernehmen, wann und mit welchen Mitteln wird er sich widersetzen.

AtV

Band 1121

Christoph Hein
Nachtfahrt und früher Morgen

Prosa

164 Seiten
ISBN 3-7466-1121-0

In zwölf Geschichten, Anekdoten und
Novellen wird mit vollendet ausgedachten
Wirklichkeiten, mit historischen Begeben-
heiten, authentischen Personen und
Skizzen aus dem Alltag Berlins gespielt.
Geprägt vom inneren Witz und Scharfsinn
ihres Erfinders, werden Lebensläufe,
Kurzdramen oder amüsant-hintersinnige
Berichte und Korrespondenzen auf-
geblättert – facettenreiche Variationen zu
den bekannten Romanen und Stücken
Christoph Heins.